不確実性の時代を元気に生きる

不確実性の時代を元気に生きる

村上雅人

海鳴社

第1章　不確実性の時代

二十一世紀は「VUCA時代」

二十一世紀は「VUCA（ブーカ）時代」と呼ばれています。VUCAは、「Volatility（変動性）」、「Uncertainty（不確実性）」、「Complexity（複雑性）」、「Ambiguity（曖昧性）」という四つの単語の頭文字をとったものです。もともとVUCAは、一九九〇年代に、冷戦終了後の複雑化した国際情勢を示す意味で使われるようになった軍事用語でした。しかし、二〇一〇年ごろから、世界経済やビジネス環境、市場、組織・個人などを取り巻く環境が大きく変化し、将来を見通すことが困難になった状況を指す用語として使われるようになったのです。

たとえば気候変動や異常気象、台風や地震といった災害が将来の予測を困難にしています。また世界経済は急速にグローバル化が進み、自由貿易が拡がる一方で、保護主義に向かう国も台頭しています。IT技術の急激な発展によって、マーケッティングのあり方が大きく変わりました。大企業も決して安定とはいえず、変革を余儀なくされています。日本をはじめ先進国では、少子高齢化という深刻な問題を抱えています。

既存の価値観やビジネスモデルが通用しない時代を迎えたという認識が深まり、二〇一六年に開催された「世界経済フォーラム（ダボス会議）」において「ＶＵＣＡ時代」という用語が使われたのです。まさに、ＶＵＣＡは現代の不安定性の象徴です。二〇二〇年に、コロナウイルス感染が全世界に拡大し混乱に陥れることなど、だれにも想像できませんでした。ここで、ある本の一節を紹介したいと思います。

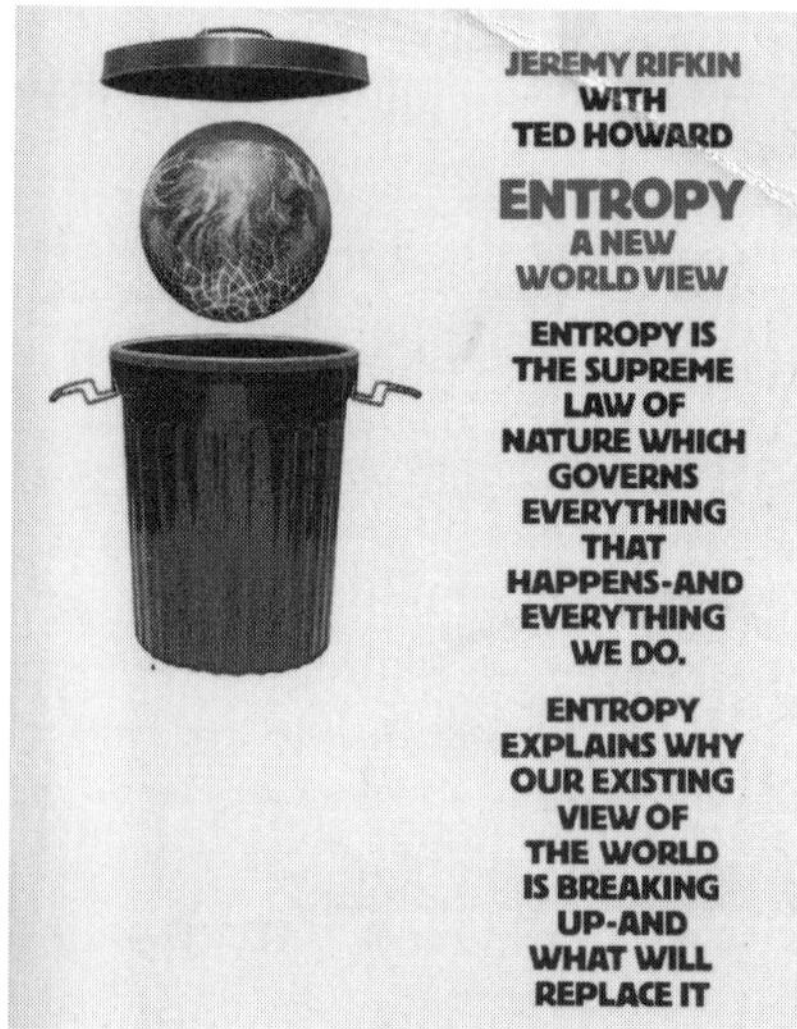

図１　1980年に出版されたジェレミー・リフキンによる『エントロピー』の表紙。邦題は『エントロピーの法則』（竹内均訳、祥伝社）。

「朝起きるとため息が出る。世の中は、昨夜寝る前に比べて、明らかに混乱と混沌が増している。そして、それを癒す処方箋はない。われわれの生活は、いま起きている問題の修繕にいつも追われているようだ。」

「政府の指導者たちは、いつも世を嘆き弁解ばかりしている。危機を脱する妙案が思いついたと思ったら、それ以上に厄介な問題が持ち上がる。」
「生産性の低下や失業も日増しに増えている。そして、これらの混沌を私たちは、政府のエコノミストや知識人などのせいにしているが、事態はちっともよくならない。」

いかがでしょうか。まさにVUCA時代である現代社会を反映した内容のように思えます。これらの文章は、ジェレミー・リフキンによって書かれた『エントロピー　新文明観』（図1、Entropy:A new world view）という世界的ベストセラーからの引用なのです。

しかも、その出版年は、なんと一九八〇年です。いまから四〇年以上も前のことであり、VUCAという言葉さえ使われていなかった時代です。そうです。世の中はいつの時代も混沌としており、未来を予測することなど不可能なのです。*

エントロピー増大則——秩序から混沌へ

リフキンが使ったエントロピー（entropy）という言葉を聞いたことがないという人も多いで

＊注ー一九七八年には、J・K・ガルブレイスが『不確実性の時代』（The Age of Uncertainty）を出版しており、こちらも世界的なベストセラーとなっています。

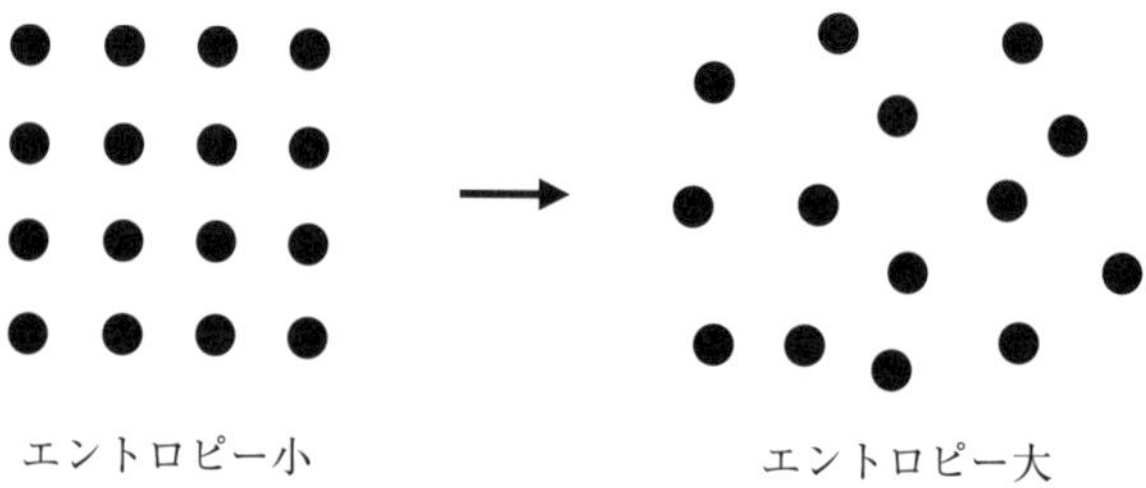

図２　私たちのまわりで起こる自然な変化では、必ず秩序状態から無秩序状態へと変化します。これを「エントロピー増大則」と呼びます。

しょう。エントロピーは科学用語であり、熱力学と呼ばれる学問分野の専門用語です。この用語が重用されるのは、自然界は「エントロピー増大則」によって支配されているからです。「熱力学の第二法則」と呼ぶこともあります。森羅万象の変化が、この法則に従うとされています（図2）。

エントロピーは「乱雑さ」や「無秩序」の指標ともなります。つまり、放っておけば、世の中は「秩序状態」から「無秩序状態」へ、あるいは「整頓された状態」から「混沌とした状態」へと変化していくというのがエントロピー増大則です。あるいは、「系はエントロピーが大きいほど、つまり、無秩序なほど安定である」と読みかえることもできます。

たとえば、ここに整理整頓された部屋があるとしましょう（これはエントロピーが小さい状態です）。でも、だれも片付けをせずに放置しておくと、部屋は次第に乱雑な状態へと変わっていきます（これはエントロピーが大きい状態です）。自然には、もとの整頓された状態（エントロピーの小さい状態）には戻りません。同様に、整地された土地も、放置しておけば雑草が生え、ゴミも捨てられ、どんどん荒れていきます。

水上の一点にインクをたらしたとしましょう。すると瞬く間にインクは拡がっていき、もとの点に戻ることはありません。煙突から空気中に流れ出た煙は、どんどん拡がっていきます＊。同じようにインターネットに流出した情報は拡がるばかりで、収束することはありません。

混沌を抑える力

物理の基本法則である「エントロピー増大則」に従えば、世の中は混沌と混乱の状態へと自然に変化していくことになります。とすれば、ＶＵＣＡ時代は、今後ますます、その無秩序状態が増大することを意味します。リフキンが嘆いた四〇年前よりも世の混沌は増しているのでしょうか。ここで、ヒントになるのが、エントロピー増大則は、なにもせずに自然の流れに任せれば生じる現象ということです。そしてそれは、人為的な努力によって変えることができるのです。

一九八〇年のリフキンの本では、私たち人類は「情報過多の海」で自分たちを見失ってしまうだろうとも予測してもいます。

＊注―正確には、温度によって異なります。室温ではそうですが、絶対零度（０Ｋ、マイナス２７３℃）では物質は拡がりません。

「ますますたくさんの情報が私たちに押し寄せると、それを整理して吸収し、自分のものとして利用できる量は逆に減っていくであろう」

つまり、「情報過負荷」(information overload) です。情報にエントロピー増大則を適用すると、整然と整理された情報であっても、次第に混沌が増し収拾のつかない状態となる運命にあります。世の中の情報もそうですが、自分の中の情報も収拾のつかない状態へと変化していくはずです。

ところで、リフキンの時代にはインターネットは普及していませんでした。現代における情報量は四〇年前よりもはるかに増えています。それでも、自分を見失っていない人も多くいます。ここで、ふたたび重要な鍵は「なにもしなければ」エントロピーは増大しますが、「なにかをすれば」エントロピー増大は抑制できるということです。そして、人類には「なにかをする」能力があるのです。たとえば、ごみが散乱した部屋を、人は整理整頓することができます。

確かに、インターネット上は「フェイク・ニュース」(fake news) であふれ、自分がしっかりしていないと、なにが事実 (fact) で、なにが意見 (opinion) で、なにが捏造 (fake) なのかが分からない状態になっていることは確かです。一方で、私たちに、しっかりとした知恵と知識が身についていれば、なにが正しいかを見抜くことができます。つまり、自らを磨くことによって、人間は混沌を止めることができるのです。

未来はいつも予測不能である

現代は、「先の見えない時代」と呼ばれています。それでは、過去に未来を予測できた時代はあったのでしょうか。もちろんありません。いつの時代も未来は予測不能なのです。だからこそ、未来に希望があるのです。

十九世紀後半に、ヨーロッパを中心に「厭世感（えんせい）」が世界を襲ったことがあります。当時は、すべての物体の運動は、「ニュートンの運動方程式」によって記述できると考えられていました。

ニュートンの運動方程式は

$$F = ma$$

と与えられます。Fは物体に働く力（force）、mは物体の質量（mass）、aは加速度（acceleration）です。ここで、加速度aは物体が動く速さ（velocity: v）の時間変化（dv/dt）に相当します。

この方程式は、地球のような大きなものだけでなく、人間の体をつくっているミクロな物質を含めたすべての物体に適用できます。そして、ある時間における状態がわかれば、この運動方程式によって、その後の状態を計算で予測できるものなのです（図3）。地球上のすべての物体の状態（位置と速さ）を把握することはできませんが、それでも、いまの状態によって未来が決

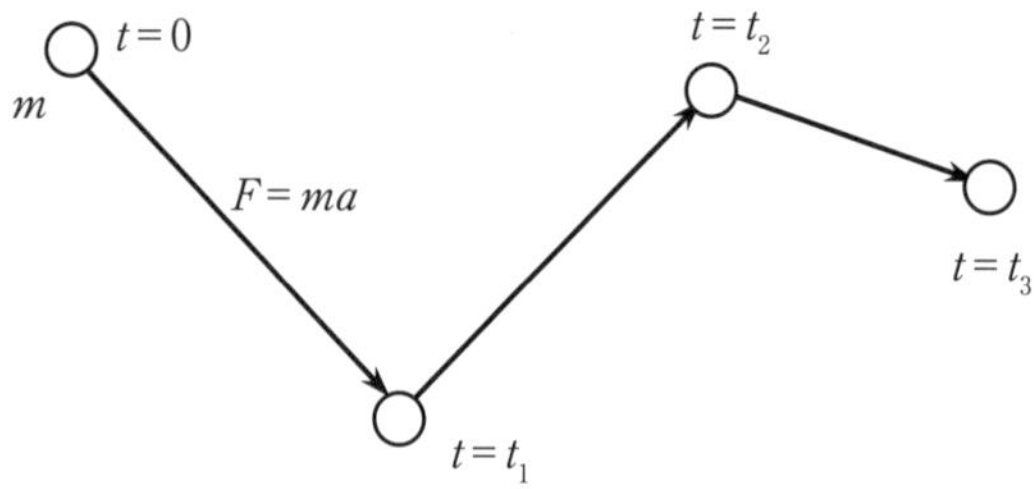

図３　物体の運動の時間変化は運動方程式（$F=ma$）によって支配されるので、ある時間の状態が分かれば、その後の運動がすべて計算できることになります。

まっていることに変わりはありません。よって、人の未来も、いまある状態で決まることになります。とすれば、人間はいくら努力しても未来を変えることはできないという結論になります。その結果、努力によって人は報われないという厭世感がヨーロッパに生まれたのです。

私たちは、現代を未来が見えない「不確実性の時代」と嘆いていますが、未来が確実な時代は、未来を切り拓くことのできない「恐ろしい時代」でもあるのです。

しかし、世界はニュートン力学だけによって支配されるほど単純ではないことが分かってきました。二十世紀の初頭に、「量子力学」という新しい物理学が誕生したのです。この物理の根本には、「不確定性原理」があり、ミクロ粒子の「位置」と「動き」を同時に決めることができないとされています。つまり、世の中の物体の動きは、運動方程式ですべて予測できるわけではなく、未来は不確定ということになります。そうです。私たち人類にとって、未来予測ができないということは、「幸せ」なことなのです。

ＶＵＣＡ時代を生き抜くには

予測不能であり不確実で不安定な「ＶＵＣＡ時代」を生き抜くためにはなにをすればよいのでしょうか。私は、答えは簡単だと思っています。「自らを磨く」ことです。それしかありません。そして、そのためには、教育が重要となります。教育こそが「未来への希望」なのです。

世の中は、「なにもしなければ」エントロピー増大則によって混乱と混沌が増していくということを説明しました。しかし、人間は知恵と工夫によってエントロピー増大を抑制することができるのです。環境問題を含めて、世の混沌が増すことを防ぐ対策を人間はとることができます。そして、そのためには、自分を磨く教育が重要となるのです。それでは、教育によって、なにを学べばよいのでしょうか。

人が身につけるべき第一の基本は「読み、書き、そろばん」です。英語で言えば、３個のｒを頭韻に含んだ単語である3R'sすなわち〝reading, writing, arithmetic〟となります。このように学問の基本は日米共通なのです。

ここで、「読み」とは、文章を読んで、その内容を正しく理解できる力です。「書き」とは、相手に自分の考えを文章で正しく伝えることができる力です。そして、「そろばん」とは、たし算、引き算、掛け算、割算を正しく、確実に計算できる力です。そして、数字に慣れていることも重要です。なにかを議論するときに、「数値データ（numerical data）」があれば世界で出発点を共通化できます。あいまいな思い込みをもとにした議論では、建設的な結論は得られません。この際、数字の意味を自分なりに考えることも重要です。

情報リテラシー

現代社会では、これらの基本に加えて「情報リテラシー」も必要となります。これは「ＩＣＴ（Information and Communication Technology）」技術、すなわち、情報通信に関する基本的な素養です。なにも高度なソフトを作成したり、複雑なアプリ（application）を使いこなすという意味ではありません。身のまわりにある情報通信機器を普通に使いこなせる力のことです。

この「読み、書き、そろばん」＋ＩＣＴの素養が学問の基本となります。これらができていれば、社会に出ても、いろいろな問題に対処することができます。基礎がしっかりしていれば、応用も利きます。「日本の若者は応用力が足りない」とよく言われますが、それは基礎がしっかりしていないことが原因です。ある小学校で、子供たちの読解力が向上したら、数学の応用問題もよく解けるようになったという報告があります。問題文を理解する力が数学力を上げるのに重要だったのです。

基礎に加えて、自分の得意な専門分野を持つことも大切です。その分野は、人文系でも社会科学でも、サイエンスや工学、医学、美術や音楽、スポーツでも良いでしょう。

そして、「クリティカルシンキング（critical thinking）」の手法を身につけていることも重要です。その詳細は第2章で紹介しますが、クリティカルシンキングとは、確かな根拠に基づき問題を整理し、それを論理的に分析し、いろいろな角度から合理的な解決法を見いだせる能力のことです。この思考法が身についていれば、予測不能なことが起きた場合でも、柔軟に対応することができるはずです。

教育のパラダイムシフト

ＶＵＣＡ時代にあっても、自分を磨き、知恵と知識を獲得していれば不測の事態にも柔軟に対応することができます。そして、そのためには教育の充実がとても大切です。混沌さが増す現代社会においては、世界各国が高等教育の重要性を再認識しています。それは、国力を維持するためには、国を支える人材の存在が重要だからです。このため、高等教育への関心が高まっているのです。

高等教育のグローバル化

一九八〇年代に世界のグローバル化が急速に進展し、経済の国際競争が激化しました。ボーダーレス化が進展したのです。多くの国に本社機能に近い支社を分散配置するグローバル企業が増えたのも、この頃です。*そして、一九九〇年代には、高等教育のグローバル化が進みました。国境を越えて他国の大学へ進学する学生が増えたのです。そして、ヨーロッパの多くの学生が、アメリカの大学に進学するようになりました。

ヨーロッパの大学では、学費のかからないところが多かったのですが、にもかかわらず高い学費を払ってまで、ハーバード大学、スタンフォード大学、マサチューセッツ工科大学（ＭＩＴ）などを目指す学生が増えたのです。これに慌てたのが、ヨーロッパ各国です。そして、一九九九年に大学発祥の地であるイタリアのボローニャにヨーロッパ二十九カ国の教育大臣が集まり、ヨーロッパの高等教育の大改革を宣言します。これが有名な「ボローニャ宣言」です。これ以降、「高等教育の質保証」に向けた教育改革が進みました。

現在、国境を越えて他国の大学へ進学する学生の数も増えて、年四五〇万人に達しています。日本で大学に進学する高校生の総数が一年あたり五七万人程度ですから、その多さが分かるでしょう。この数は、今後も増えていくと予想されています。そして、いかに優秀な学生を世界から集めるかもトップクラスの大学にとっては重要課題となっているのです。

インターネット革命

ＭＩＴは二〇〇一年に「ＯＣＷ（open course ware）」というシステムを導入することを世界に向けて発表しました。これは、大学の講義を、インターネットを使って世界に配信するというものです。視聴するだけならばコストはかかりません。二〇〇三年から本格導入が始まりました。世界レベルの講義が無料で聴けるのです。そして二〇〇七年からは全講義をＯＣＷに公開すると宣言したのです。

ＭＩＴによるオンライン講義（ＯＣＷ）を受講し、優秀な成績を収めたモンゴルの十六歳の少年が、二〇一三年に特待生としてＭＩＴに入学したニュースは大きな注目を集めました。彼はインターネットで英語を勉強し、ＭＩＴの講義もオンラインで受講したのです。自大学の講義を世界に発信することで、青田買いではないですが、世界中から優秀な学生をリクルートすることができるのです。さらに、お金を払えば、ＯＣＷで提供されている講義は、大学で単位認定もされます。これも学生にとっては大きな魅力となります。アメリカでは、取得単位ごとに学費を課す大学が多いのです。事前に単位を取得していれば、その分だけ学費を安く抑えられます。

このようなインターネットによるオンライン講義の提供は、他大学も始めており、いまでは、大規模公開オンライン講座「ＭＯＯＣs（massive online open courses）」と呼ばれています。二〇〇八年にＭＩＴとハーバード大学が共同で開発したｅｄＸの利用者は、現在、一四〇〇万人です。また、スタンフォード大学が開発したＭＯＯＣsの「コーセラ（Cousera）」は、利用者が

＊注―もちろん税金対策の一環の場合もあります。タックスヘイブン（tax haven）と呼ばれる税金の安い国や地域に本社を置く企業もあります。

なんと二五〇〇万人に達しています。

世界の大学では、優秀な学生の獲得競争が始まっています。しかし、その一方で、ランキングの高い大学、たとえばハーバード大学に入ったからといって、本人が成長するかどうかは保証の限りではないのです。やはり、学生本人のやる気がないと、いくら教員やシステムが良くても学修*効果は得られないからです。教育は一方通行ではないのです。

私の知人の子息は、ハーバード大学とＭＩＴに合格し、悩んだ末にハーバード大学を選びました。大変優秀でしたが、大学の講義に魅力を感じないと言っていました。そして、ボランティアを含めたいろいろな課外活動に積極的にチャレンジしました。また、ＨＬＡＢ#にも参加して、自分の進むべき路を模索しましたが、最後まで、大学で勉強する意味が見つけられなかったと言っています。ハーバードの物理教員から研究室にスカウトされたり、ジュリアード音楽院にも合格しますが、結局、日本の総合商社に就職しました。

大学のレベルも大切ですが、それ以上に、そこで学修する学生の「やる気」が重要となるのです。大学での学修スタイルは多様です。なにがよくて、なにがダメかという判断を画一的に下すことはできません。どんなに優秀な人であっても、教育に疑問をもち、それに集中できなければ学修の成果は得られないのです。ただし、一生は長いです。多感な学生時代に疑問を抱き、自分の進路を真剣に思い悩むことは、とても大切なことと思います。人生は長いのです、真に興味の持てるものが見つかった時点で再挑戦しても遅くはありません。

社会で活躍している人たちからは、尊敬できる教師との出会いが、人生の進路の決定において、とても重要であったという話をよく聞きます。憧れを持てるような素晴らしい教師と、小中高大のなかで出会えるかどうかも大事です。

「偉大なる教師は、生徒の学びの心に火を灯す」The great teacher inspires.

このような教師に出会えていたら、彼の進路も変わったかも知れません。ただし、彼の旅が終わったわけではありません。今後の人生で範とすべき教師と出会うチャンスは、まだあるからです。

地上でもっとも美しい場所

大学で学ぶ意味について、ひとつの考えを紹介したいと思います。みなさん、よくご存じのアメリカのジョン・Ｆ・ケネディ大統領が、一九六三年、アメリカン大学で行った卒業式の式辞に、

＊注－「学習」は習い学ぶこと、「学修」は学び修めて身につけることです。

＃注－ＨＬＡＢはハーバード大生の小林亮介氏が二〇〇一年に始めたもので、大学生、高校生を対象に、専門家や先生からではなく、お互いから学び、刺激する学びの場です。

その真髄が語られています。彼は、ジョン・メイズフィールドの文章を引用しながら大学の本質を次のように語っているのです。

"There are few earthly things more beautiful than a university.… He (Masefield) did not refer to spires and towers, to campus greens and ivied walls. He admired the splendid beauty of the university, he said, because it was 'a place where those who hate ignorance may strive to know, where those who perceive truth may strive to make others see."
「地上のもので、大学ほど美しいものはない。……メイズフィールドは、尖塔や荘厳な建造物、緑あふれるキャンパス、つたのからまる壁などを指して、大学の美しさと言っているのではない。彼が賞賛した大学の美とは、大学が、『無知を嫌う人びとが集い、新しい知を得ようとする場であり、真実を知る人たちが、それを他者に伝えようと奮闘する場』であるからだと。」

どうでしょうか。私もまったく同じ思いです。そこで新入生向けの挨拶で、こう語ってきました。

「無知を嫌う人が集い、真実を知ろうとする場が大学なのです。大学に入学した人たちは、まさに知の冒険に船出しようとしている人たちです。その旅を魅惑あるものにするか、それとも怠惰なものにするかは、みなさんの考え方ひとつにかかっています。一度しかない人生です。それを、ぜひ魅惑あるものにしましょう。みなさん、われわれと一緒に知の冒険に旅立ちましょう。」

もちろん、このような考えは、あくまでも多様な大学の在るべき姿のひとつであり、これに固執する必要はありません。学生一人ひとりにとって、大学の意味が異なっても良いのです。それこそが多様性です。ただし、もし、大学在学中に学ぶ意義を見いだし、そして自分の師と呼べる人に出会えれば、それが学生にとってベストであることは言うまでもありません。

教育は希望である

私たちが住んでいる世界では、思いもよらないことが起きます。二〇一一年三月十一日の東日本大震災は、日本人として決して忘れることのできない惨事です。突然の大きな揺れと地を這うような震動、しばらくしてテレビをつけたときの信じられない画像、いまだに忘れることはできません。

私は、岩手県の出身ですが、多くの親戚や友人たちが被災しました。行方不明となった人もたくさんいました。故郷の懐かしい海岸の風景、それが瞬く間に変わり果てていく画像を見たときの衝撃、自然の圧倒的な脅威の前になにもできない人間の無力さを思い知りました。自分にいったいなにができるだろうか悩んでいました。

そんなときに、ある学生から手紙で相談を受けました。二〇一二年四月に芝浦工業大学に入学したばかりの岩手出身の学生からです。

「私の家は被災し、家族は仮設住宅に住んでいます。みんな必死になって復興に向かって頑張っています。そんな中で、私ひとりが、東京に出てきて大学に通っていてよいのか悩んでいます。

私は、奨学金を得て、東京で恵まれた生活をしています。しかし、故郷の家族や親戚や、まわりの人たちは、不便な生活を強いられています。その人たちのことを考えると心苦しいです。大学をやめて、いますぐ故郷に帰って家族の手助けをしないといけないのではないか、こう、いつも悩んでいます。」

この相談にどう応えるか、私も悩みました。この学生の心情がとてもよく理解できたからです。しかし、この学生がいま大学をやめて故郷に帰ることが得策かどうかは無責任に答えられる問題ではありません。悩んだ末に、私がこの学生に送った助言は次のようなものでした。

「あなたの気持ちは、同じ岩手出身の人間としてもよく分かります。いますぐ故郷に帰って何かをしたい、その気持ちも痛いほど分かります。しかし、あなたは、多くの方の応援や支援のおかげで、いま大学に通っています。その機会を与えられたことを前向きに捉えてみませんか。いまあなたが故郷になしうることと、四年の教育を経て成長したあなたが故郷になしうることを考えるならば、私は、あなたが大学で勉強することが最善の選択と思います。

教育は希望です。

四年間の教育の蓄積という財産を得たあなたが、それを故郷の復興のために役立てる。それこそが、あなたの使命であり、この大学にいる意味ではないでしょうか。故郷の復興のために、自分が貢献したいという強い気持ちをもって精進すれば、あなたが身につけた知識や知恵は、必ず、社会の役に立ち、故郷の復興に貢献するはずです。」

その後、しばらくして、その学生から次のような返事をいただきました。

「ありがとうございます。先生も同じ被災地出身と聞いて驚きました。そして、先生のアドバイスで、少し、自分の後ろめたさが和らぎました。自分の今の気持ちは、工学の知識を得て、被災地の子供たちを支える仕事に就きたいというものです。そのために、一生懸命がんばりたいと思います。」

その決意を聞いて私は安心するとともに、私自身、教育者としての責任をひしひしと感じました。そして、大学人として未曾有の国難にあって行うべきは、教育によって「社会に貢献できる人材を育成する」ことであると、改めて認識したのです。

教育は希望であり、そして、国を豊かにする源泉です。人は学ぶことによって成長します。そして国を創り支えるのは人です。国民一人ひとりが成長すれば、国は豊かになるでしょう。

イギリスの首相となったトニー・ブレアが、一九九七年、国力が低下したイギリスを救うために重要な政策が三つあると言いました。三つの政策とはなにでしょうか。彼はこう言ったそうです。

「一にも教育、二にも教育、三にも教育」Education, Education, Education.

教育こそが国を豊かにする政策であると、一国のリーダーが表明したのです。

教育によって希望を与えること、これが大学の大きな使命であると思います。ただし、「人を育てる」と言っても、それを実効性のあるものにすることは容易ではありません。

ここで、重要なことは、教育は一方通行ではないということです。野球でも、どんなにすごい球を投げる名投手がいたとしても、それを受ける捕手がいなければ、意味がありません。教育も、教師とそれを受けとめる学生、その両方の存在こそが大切なのです。

第2章　クリティカルシンキング

先の見えないＶＵＣＡ時代を生き抜くには「自らを磨くこと」がとても大切であると述べてきました。人は教育を通して、自分を磨き、高めることができます。このため、教育は重要なのです。

では、私たちはなにを身につければよいのでしょうか。まずは、教育の基本である「読み、書き、そろばん」にＩＣＴ、すなわち情報通信技術の基礎的な素養です。基本は、パソコンや携帯電話などを使ってインターネットを使えること、また簡単なソフトウェアであるＷｏｒｄなどのワープロソフト、エクセルなどの表計算ソフト、パワーポイントなどのプレゼン用ソフトを使えること。そのうえで、自分の得意分野や専門分野に精通することも大切です。

一方、こうした基礎をマスターしたうえで、社会に出たときに必要となるのが、いかに課題解決あるいは問題解決を行うかの手法の習得です。

「クリティカル」の意味

ここでは、社会に出て問題解決に取り組む際に必要となる論理的思考法である「クリティカルシンキング（critical thinking）」について紹介したいと思います。この用語は、しばしば「批判的思考」と訳されることがありますが、少しニュアンスが違うと思います。「批判」という言葉を使うのは、なにごとも鵜呑みにするのではなく「批判的な視点で、ものごとを眺めることも大切である」という考えに基づいています。確かに、そのような考えも納得できます。

実は、専門用語として〝critical〟を使う場合、「決定的な」という意味で使われることも多いのです。〝critical〟の語源には〝critic〟に対応する「批評」や「批判」だけではなく、〝crisis〟という単語もあります。すなわち「危機」や「重要な岐路」という意味合いもあるのです。〝crisis〟を語源とする場合、その形容詞である〝critical〟には、「危機的な」「生死を決する」などから派生して「重大な」「決定的な」という意味が付与されています。

クリティカルパス

多くの人が関わるプロジェクトにおいて、その進捗状況を管理する「プロジェクトマネジメント（project management）」という手法があります。特定のタスクが終わらないと開始できないタスクもあるので、タスク間の関連性を認識していないと、致命的な遅れにつながります。そのようなとき「クリティカルパス（critical path）」法を使ってスケジュールを管理するという考えがあります。

図４をみてください。Aで仕事を始めます。Xという仕事を1日（1D）で終わればBに進むことができます。BではYとWという仕事に着手できます。Yには1日かかりますが、その後Cを経て、Zという仕事を2日すればゴールのDにつけます。ただし、もうひとつ別の仕事Wをする必要もありますが、Dに達するためには5日かかります。よってプロジェクト全体の短縮には、B→Dの工程を短くする必要があり、これがクリティカルパスとなります。

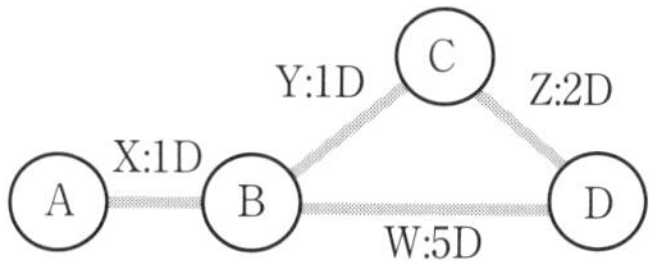

図４　A，B，C，Dが各仕事の工程。X，Y，Z，Wが仕事の内容で、それにかかる日数は（Daysを略し）D

すなわち、プロジェクト管理において、「最も重要な経路」を指し、「批判的な経路」という意味はありません。

ここまで考えてくると、クリティカルシンキングの意味合いとしては、「論理的思考法の決定版」という訳もよいかも知れません。「批判」を前面に出すと誤解を与えます。ただし、これでは和訳としては大げさですし、しっくりきません。そこで、本書では「クリティカルシンキング」という表現をそのまま使うことにします。このカタカナ用法は、日本語に適訳がないときに威力を発揮します。第1章で紹介した「エントロピー」もまさに、その好例です。この科学用語を適確に示す日本語訳がない場合が多いのです。、みなさんにとって身近な「エネルギー」（energy）も、適切な和訳のないカタカナ外来語なのです。

論理的思考法であること

次に、クリティカルシンキングの思考法を見ていきましょう。まず、この手法では、現状を正しく分析することから始めます。このとき、可能であれば「数値データ」に立脚すること、また、そのデータの出典が信頼できるものであることを確認することが重要です。

「事実」と「意見」を峻別することが重要

そして、立脚すべき前提が、「事実」なのか、「意見」なのかを峻別することも重要です。世の中を見ていると、事実ではなく、自分たちの思い込みを根拠として議論しているケースが圧倒的に多いのです。場合によっては、自分たちの意見に都合のよいデータだけを使っている場合もあります。その典型例は政治です。国会の議論を聞いていると、自分勝手な意見のぶつけ合いが多く、どんな事実に根拠を置いているのか、それが希薄に思えることが少なくありません。

これは、社会においても同様です。「だれかがうまくいくと言っている」などという曖昧な根拠をもとに新規のプロジェクトを始めたら会社はつぶれてしまいます。プロジェクトを始める前に、客観的なデータに基づき、それがうまくいくかどうかを検証する必要があるのです。

大学における教授会の議論もしばしばそうでした。事実ではなく、思い込みをもとに自己主張をする人が多いのです。それぞれの思い込み*に基づいているため、そもそもの出発点が異なりますから、建設的な議論になりません。その結果、結論がまとまらずに時間だけが虚しく過ぎ、あげくの果てに決定を次回に延ばすということも当たり前でした。

つまり、議論の前提として、いかに根拠のしっかりとした客観的データを集められるかが鍵となります。データに勝る詭弁などないからです。

卒業論文はクリティカルシンキング力を鍛える

日本の大学における卒業論文研究や、修士論文研究は、クリティカルシンキング力を育てるよい教育手法です。これらの研究では、テーマを決めることから始まります。この際、研究分野の背景をよく知る必要がありますし、どのようなことが明らかとなっていて、なにが課題かを整理する必要もあります。

そのうえで、課題を解決するためには、どうすればよいかを考え、実験などを用いて検証をしていきます。そして、研究を進めるなかで、論理的な思考力も育まれます。実験結果をまとめる

*注－「政府や文部科学省が言っていることは間違い」ということを前提に、自分の意見を滔々と述べる教員もいました。

とき、論理的に考えなければ、整合性のある結論は得られないからです。それをまとめて論文にする際にも論理的思考が重要となります。さらに多くの先生や他の学生の前で研究成果を発表するには、頭の中で繰り返し何度も、自分の考えを整理する必要もあります。この経験は貴重であり、とても大きい学修効果を生みます。

もともと卒業論文研究は、ドイツのベルリン大学（Humboldt-Universität zu Berlin）で生まれた少人数教育です。この大学に留学したアメリカの研究者が、この手法を自国に持ち帰り発展させました。[*] 最終的には、アメリカやドイツの教育スタイルが日本の大学に導入され定着したのです。しかし、現在、卒業論文研究が行われているのは日本だけとなっています。その理由は、教員の負担が非常に大きいことがひとつの理由です。学生数が増加したアメリカでは、少人数を対象とした教育が難しくなったということも背景にあります。このため、欧米の学部では講義中心の教育が行われ、研究指導が本格化するのは、大学院に入ってからです。ただし、研究を通じた教育は、クリティカルシンキング力の育成に大きな教育効果を発揮します。このため、卒業論文研究を導入する欧米の大学も増えつつあります。[#]

研究者が自分の研究を論文にまとめて投稿する際にもクリティカルシンキング力が必要になります。自分が取り組んでいる研究分野でなにが課題かを整理し、仮説をたて、それを検証するための実験を行い、論理的な考察をしたうえで、合理的な結論を引き出す。まさにクリティカルシンキングです。実は、やたらと実験量は多いのですが、論文の書けない人がいます。彼らには、クリティカルシンキング力が不足していると言えます。

研究力のある教員に指導を受けることは、学生にとって、とても大切です。ここで言う研究力は、クリティカルシンキング力に通じます。そして、大学教員は、研究によって、常にみずからを磨いている必要があります。研究発表の場や、研究論文の執筆は、まさにクリティカルシンキング力の鍛錬の場となっているのです。

論理的思考法の例

それでは、論理的に考えることの重要性について、いくつかの例をあげて見ていきましょう。

上り電車と下り電車の不公平

S駅を利用している乗客Aさんから、駅に不満の声が寄せられました。「自分はS駅で、毎朝、上り電車を利用している。しかし、いつ駅に着いても下り電車が先に来ている。これはたいへん不公平だ」という苦情でした。

＊注－研究による教育は、フンボルト理念と呼ばれています。たとえば、潮木守一『世界の大学危機』中公新書の一七六四年の項を参照。
#注－オナーズプログラム（honors program）として、学部の成績優秀者にのみ論文研究を許可する場合もあります。

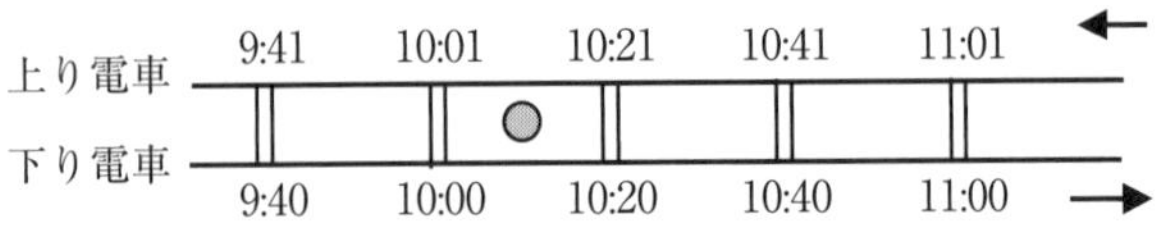

図６　Ｓ駅での電車の運行表。●はＡさんが駅に着く時刻

早速、駅員が調べたところ、朝の時間帯、上り電車も下り電車も同じ時間間隔で運行されていることが分かりました。上りと下りは向かい合わせのホームに入ってきます。待ち時間は同じなので、不公平が生じないように、思えます。

図6を使って、実際に説明してみましょう。上り電車も下り電車も運行間隔は二〇分でした。調べてみると、駅に到着する下り電車の時間は、九時四十分、十時、十時二十分でした。一方、上り電車の到着時間は、それよりも一分遅れの九時四十一分、十時一分、十時二十一分でした。この乗客Aさんは毎朝十時二十一分の上り電車に乗りたいとしましょう。このときAさんは、十時一分から十時二十分までの間の一九分間のどこかで駅のホームに着けば、十時二十分到着の下り電車が先に駅に入って来るのを目撃することになります。上り電車が先に来るのは、十時二十分から十時二十一分までの一分間だけなのです。

このように、上り電車と下り電車の運行間隔が同じであっても、下り電車が先に到着する確率は一九倍も高くなります。最初の印象では、そんなことが起こるはずはないと感じたかも知れません。しかし、図を使ってじっくり考えれば分かることなのです。日常には、このような事例があふれています。

豊臣秀吉の思考法

戦国武将である豊臣秀吉の話を紹介したいと思います。関東の小田原に城があった北条を攻めるときに、一晩で城をつくったという「一夜城」の伝説がある秀吉は、数字にとても強く、論理的思考法にも通じていたようです。

あるとき、織田信長が、家来に、霧深い山にある木の本数を数えることを命じたことがあります。城を建てるのに、この山からどれくらいの数の樹木が使えるかを知りたかったのでしょう。多くの家来が挑戦しますが、霧も深く、そのうえ険しい山ですので、なかなか一〇〇〇本を優に超える樹木の数を正確に数えることはできません。

ところが秀吉はたった一日で、その解答を導いてみせたのです。どうしたかというと、最初に、ある決まった数のひも、たとえば二〇〇〇本を用意します。これを家来に命じて、一本一本山の樹木に結びつけ、残ったひもを持ち返るようにします。家来たちは、山に入りひものない樹木にだけ、ひもを結べば良いのです。そして、山にあるすべての樹木にひもを結んでしまえば終わりです。そこで、残ったひもの数を数えるのです。合計八五本のひもが残っていることが判明したとしましょう。そうなると答えは簡単、求める樹木の数は

$$2000 - 85 = 1915$$

という計算から導きだされます。実に見事な数的かつ論理的思考法です。

この手法は応用が効きます。たとえば、大学が主催する講演会などでは、参加者に筆記具や大

学の案内の入ったロゴ入りバックを渡します。あらかじめ用意したバックの残数を数えれば、参加者の実数が分かるという仕組です。アンケートでは実数はつかめませんし、申し込み数では欠席者が含まれます。一般のイベントでも利用される手法です。

「切れ者」曽呂利新左衛門

このように一般に賢いことで知られる秀吉ですが、失敗談もあります。人は慣れてくると、つい忙しさにかまけ、初心を忘れ、基本的な事項の確認を怠るようです。

秀吉の家来のひとりに曽呂利（そろり）新左衛門がいます。彼は、頓智の効いた切れ者として知られていました。あるとき、秀吉が新左衛門の武勲に、褒美を出すことを約束します。すると、新左衛門は、今日は米一粒が欲しいと願い出ます。明日は、その倍の二粒、明後日はさらに倍の四粒と増やし一〇〇日続けて欲しいと言ったのです。つまり、

1, 2, 4, 8, 16, 32, 64,…

という計算*となります。

秀吉は「新左衛門はなんと欲のない人間なのだろう」と思い、その願いを笑って聞き入れます。すると、二一日目には、褒美は、米一俵まで増えました。そして、一か月後には、米は四五〇俵にもなったのです。一〇〇日まで行ったら、日本いや世界の生産量をはるかに超える米の量となります。ついに、秀吉は根を挙げます。これは、初心を忘れ、傲岸不遜（ごうがんふそん）になっている秀吉に対す

る新左衛門の戒めだったのかも知れません。

秀吉も、最初のときに立ち止まって、じっくり考えれば、自分で計算をすることができたはずです。思い込みで事を進めることは、とても危険なのです。秀吉も若い頃であれば、自分で計算していたのではないでしょうか。

自分が学んだことを実践で活かすのは、容易ではありません。しかし、「クリティカルシンキング」という思考法をしっかり身につけさえすれば、不確実性で不安定な社会にあっても、世の変化に柔軟に対応できます。ここで重要なことは、常に初心を忘れないことです。そして、なにかのプロジェクトを始める際に、確かな根拠に基づきものごとを整理することです。そのうえで、「事実」と「意見」を峻別し、論理的にものごとを考えることが重要です。

浮かない磁石の謎

一九九〇年、仙台で開催された国際会議の基調講演に登壇することが決まり、私は超伝導を使って人間を浮上させるというデモンストレーションをすることを企画しました。当時、論争となっていた「高温超伝導体では大きな電流が流せない」という悲観論を払拭することが目的でした。人間を浮かせるためには、超伝導体と永久磁石が必要になります。超伝導体のほうは、小さ

＊注―これは、専門的には「等比数列」と呼ばれるものです。この場合の一般項（つまりn番目の項）は2^{n-1}となります。

なものを並べればよいのですが、磁石は大きくなければなりません。人間浮上用には、余裕をみて直径一mくらいのものが必要だと推定しました。

しかし、こんな大きな磁石は世界でだれも作ったことがありません。そこで、ある磁石メーカーの協力を得て、大型磁石をつくるプロジェクトを始めました。磁石の種類としては、世界最

図７　貼り合せ磁石でも超伝導体の上に浮上が可能であることを確認できました。下にあるのが液体窒素で冷却した超伝導体。浮いているのが貼り合せ磁石です。

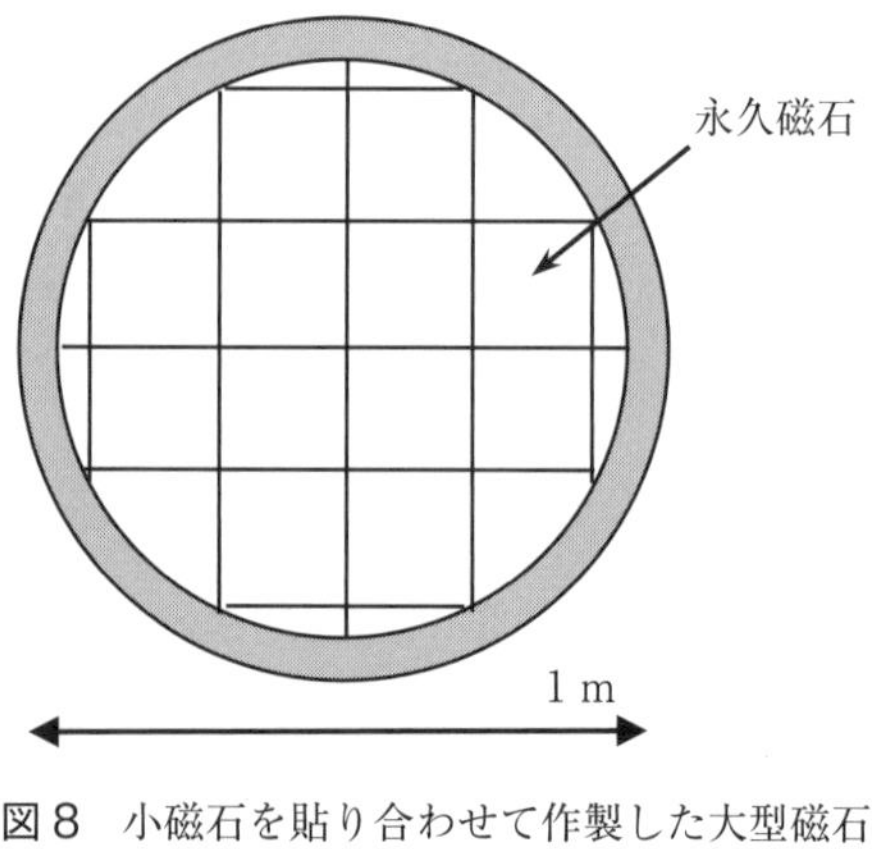

図８　小磁石を貼り合わせて作製した大型磁石

強のFe‐Nd‐B（鉄‐ネオジム‐ホウ素）磁石を使うことにします。やり方としては、小さな磁石を金属板に貼っていき、大きな磁石にすることを考えました。まずは、直径が五cm程度の磁石を作って浮上実験を試みました。すると、図7のように、問題なく浮上しました。

さらに、直径一五cmのものも試作しましたが、これも問題なく浮上できることを確認しました。この結果をもとに、直径が一mという大型磁石の作製にとりかかりました。磁石メーカーにとっても世界初の試みです。少し心配しましたが、順調に計画は進み、国際会議の一か月前に、ようやく世界初の大型磁石が完成しました。図8に世界初の大型磁石のポンチ絵を示します。

磁石メーカーの工場から大型磁石をトラックに載せて運ぶと決まった日、はたして「無事に運べるだろうか」と、とても心配しました。なにしろ、だれも作ったことのない代物です。隣りを走っている車が磁石に引き寄せられて、交通事故でも起こしたらと心配になったのです。しかし、これは杞憂（きゆう）でした。

磁石が無事、研究所に到着し、いよいよ実験開始です。研究所の研究員や事務員らも全員が集まって見守っています。超伝導体を冷やして、その上に大型磁石を置けば、ふわりと浮くはずです。そうしたら、浮いた磁石の上に人が乗る、そのような段取りでした。

届いた大型磁石は六〇kg近くあり、とても重いので、四人がかりで持ち上げて、超伝導体の上まで持っていきます。これで円盤が浮けば、大歓声だったのですが、なぜか磁石は浮くことなく、超伝導体の上にストンと落ちてしまいます。

最初は、超伝導体が冷えていないからだろうと考え、よく冷やしてから、再度、挑戦したのですが、結果は同じです。期待して集まってくれていた研究員たちも、しばらく様子を伺っていたのですが、気まずい雰囲気を察したのか、ひとりふたりと帰っていきます。

後に残された私たちは途方にくれました。なぜ失敗したのかが分からないのです。そこで、磁場測定器を使って調べてみると五〇〇〇ガウス*あるはずの磁場が、驚くことに、中心部では消えているのです

これでは浮くはずがありません。確認のため、製造を依頼したメーカーに問い合わせました。「磁化し忘れたのではないか」と。しかし、現場のベテラン作業者たちは、貼り付ける前の磁石は、確かに五〇〇〇ガウスあったと譲りません。危険を冒してまで磁石の製造に協力したのに、難癖をつけるとは何事かと怒りだしたというのです。それでは、磁場はどこに消えたのでしょうか。

磁場はなぜ消えたのか

このような事態に対処しなければいけないとき、みなさんならどうするでしょうか。チームが集まって、知恵を出し合い対策を話し合う「ブレインストーミング」もよいでしょう。でも、いちばん大切なのは、基本に立ち戻って考えることです。磁場が勝手に消えるはずがありません。それでも消えたのです。電磁気学はどこか間違っていたのでしょうか。

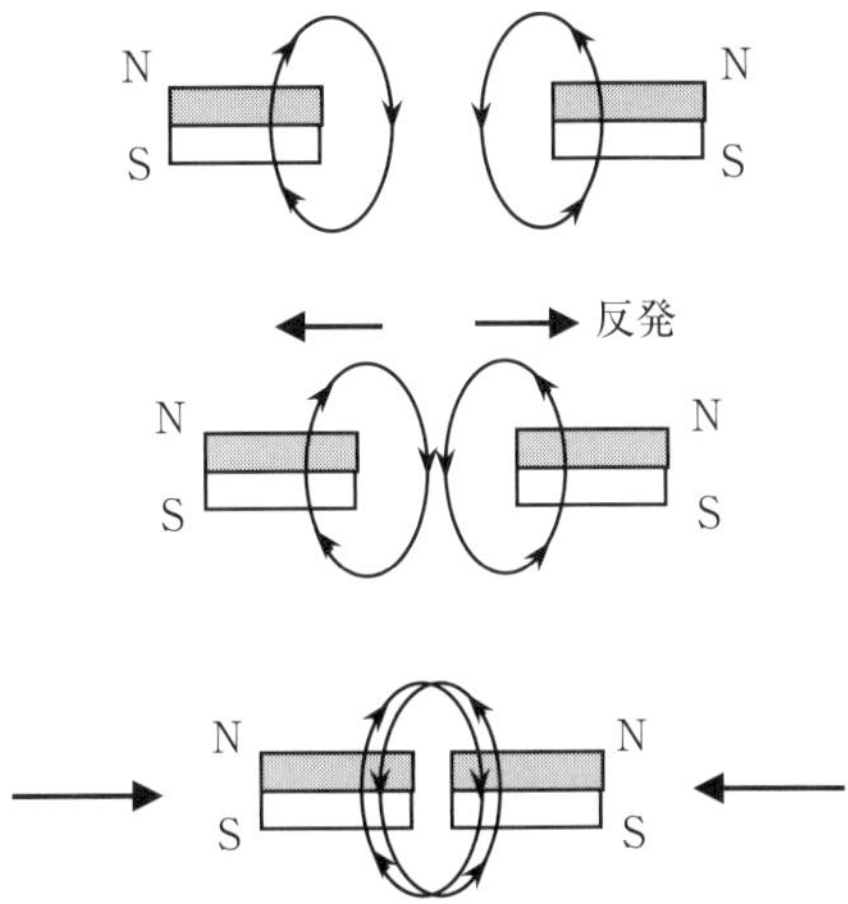

図９　磁石を近づけたときに磁場が消える原理：強い反発力に抗して、磁石を近づけると、下図のように磁力線どうしが打ち消し合い、磁場は消えるのです。

結論から言うと、「磁場が消える」現象は本当に起きるのです。この現象の理論的な背景も分かりました。図９に簡単な説明図を示します。

永久磁石にはＮ極とＳ極があります。磁力線は、図のようにＮ極から出てＳ極に向かいます。ここで二個の磁石を近づけると、磁力線は同じ方向を向くので反発しあいます。強い磁石ほど、大きな反発力が生じます。無理に近づけようとすると、磁石が反転して指が挟まれ、作業員がケガをするので注意が必要です。工場では、ベテランの作業員の方が万全の注意を払いながら、大型磁石を組み立ててくれたのです。

ところが、反発力に逆らってさらに磁石どうしを近づけると、いちばん下の図のようにＮ↓Ｓ

＊注―ガウス（gauss, G）は、磁場（正確には磁束密度）の単位です。地磁気の強さは〇・五Ｇ程度です。通常のフェライト磁石は数百Ｇ程度の大きさです。

とS→Nの磁力線が互いに打ち消しあうことになります。この結果、中心部では磁場が消えるのです。

実際に図8の大型磁石の中心部では、磁場の強さはほぼゼロとなっていました。かろうじて、周辺部で三〇〇〇ガウスの磁場が残っていることが分かりました。この現象は、専門的には「反磁場効果（demagnetizing effect）」と呼ばれるものです。とはいえ、この現象がたとえ物理的に面白いといっても、あくまでも目標は、超伝導で人間を浮かすことです。それができないのでは話になりません。

「人間浮上実験」への再挑戦

大きな国際会議を開催するときには、それなりのコストがかかります。仙台の会議では、世界から二〇〇〇人近い研究者の参加を見込んでいましたので、広い会場が必要でした。仙台市の地元の商工会の方たちには、「世界初の超伝導による人間浮上実験」を仙台で行いますと事前にアナウンスし、多額の寄付をいただいていました。いまさら「できなかったので中止します」というわけにはいきません。

なにはともあれ、原因が分かったのですから、きっと解決策はあるはずです。まさに「クリティカルシンキング力」が試されます。しかし、残された期間は一か月しかありません。いろいろな案が出ましたが、限られた期間の中で、「これなら大丈夫、確実だ」と思えるものに、なかなか辿りつけなかったのです。

「やっぱり、あきらめるしかないかな」という思いが頭をよぎった時です。半年ほど一緒にプロジェクトを進めてきた磁石メーカーの方々が、私に話があるとやってきたのです。「ギブアップ」の提案だろうと思いました。仕方がありません。無理強いはできないのです。ところが、違っていました。彼らは、こんなことを話してくれたのです。

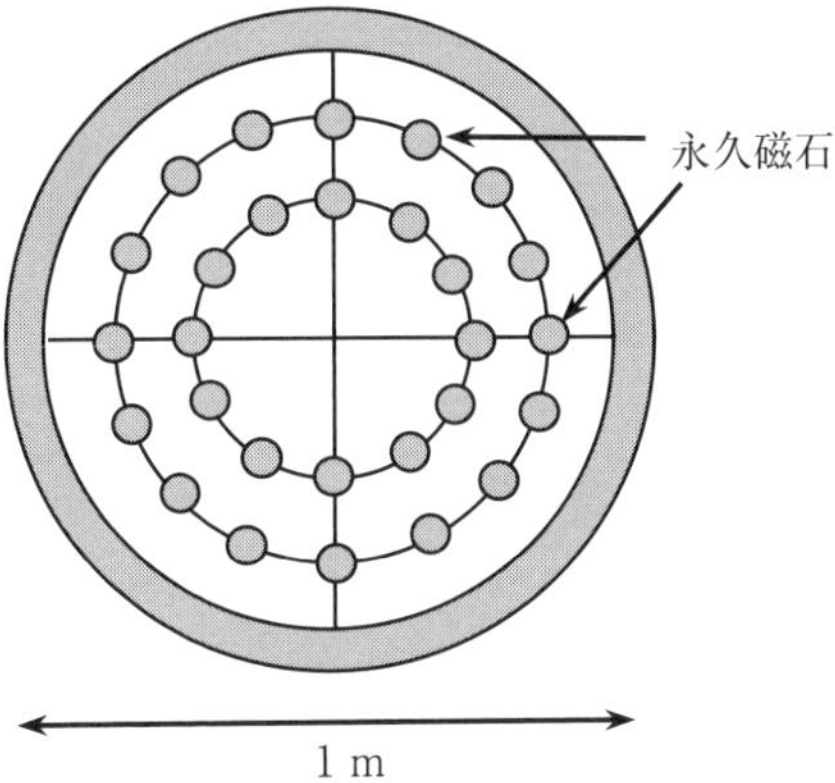

図10　磁場が消えない大型磁石の概要図：ただし実際の円板には200個以上の小磁石が埋め込まれています。

「この半年、村上さんと一緒に開発してきて、本当に楽しかった。人によっては、下請けに対して不遜な態度で命令する人もいるが、村上さんは、いつも私どもを仲間として扱ってくれた。しかも、今回の失敗でも、いっさい私たちを責めなかった。関係者みんなで話しあって、全社を挙げて協力することを、上司に許可してもらいました。」

そして、ブレインストーミングで出た解決策から、短期間でできるものを図面に落としてき

図 11　超伝導による人間浮上デモ。ただし、この写真は 1990 年仙台での実際のデモ写真ではなく、その後に撮影したものです。

てくれたのです。それが、図10の図面です。おそらく徹夜の作業だったと思います。

磁場が消えるのは、永久磁石どうしが近づきすぎたからです。それならば磁石の間隔を、少し離せばよいことになります。さらに、短期間で磁石を用意するとなると、在庫としてある永久磁石を使う必要があります。当時は、直径が二cm程度の磁石ならば普通に製造されていました。これを利用しようと考えたのです。

驚くことに、彼らは自社の全工場にある磁石の在庫を調べ、顧客にお願いして納期を遅らせ、こちらを最優先するように依頼してくれたというのです。そのとき、しみじみ思いました。「自分には頼りになる仲間がいるんだ」と。自分はひとりではない、信頼できる仲間がいる、それだけで大きな勇気をもらいました。たいへん忙しく、かつ息のつまるようなひと月でしたが、信頼できる仲間がいるという気持ちが後押し、どんな課題にも前向きに取り組めました。決してあきらめないという意を強く持ったのです。結果、会議の二日前に、人間浮上用の磁石がぎりぎり完成したのです。

この磁石を運ぶ運送屋の手配が間に合わなかったために、研究仲間が自分の四輪駆動車を使って、東京から仙台まで運んでくれることになりました。

いかがでしたでしょうか。「クリティカルシンキング」の応用例として人間浮上実験のエピソードを紹介しました。ただし、結果として成功したから話せるのであって、失敗していたらどうだったでしょうか。

ここで強調したかったのは、クリティカルシンキングはあくまでも手法であって、チームで事に当たるときには、信頼できる仲間の存在が成否の鍵を握っていたということです。

さて、デモを予定していた国際会議当日の朝、私は宿泊ホテルのレストランで朝刊各紙を見てとても驚きました。新聞のテレビ欄には、夕方のニュースにすべて「世界初、超伝導による人間浮上」と予告が出ていたのです。失敗していたらと思うとゾッとしました。図11に示すように、人間浮上デモは見事に成功したのです。

いまでも一九九〇年十一月の出来事は、「奇跡のひと月」と思っています。緊張と緊迫の日々でしたが、かえがえのない宝物をもらった日々でもありました。国際会議での人間浮上デモに成功した夜は、仲間と何度も祝杯を挙げました。

第3章　教育立国日本

VUCA時代を元気に生き抜く秘訣は「自らを磨くこと」。そのためには、教育が重要です。

The collapse of education is the collapse of nation.

「教育の崩壊は、国家の崩壊につながる」

という言葉があります。「ある国を滅ぼすのに武器はいらない。その国の教育システムを崩壊させればよい」と言われているのです。教育こそが、その国の将来の鍵を握っていることになります。「教育は国家百年の計」と言われる所以(ゆえん)です。

日本の教育はダメなのか？

ある高校で私が講演をしたとき、ひとりの高校生から次のような質問がありました。

「どうして日本の教育は世界最低なのでしょうか？」

とても驚きました。そこで、なぜそう思うのか尋ねたところ
「だって、みんながそう言っています」

という返答でした。少し考えてから
「私は、世界のいろいろな国を訪れ、世界中の人と話す機会がありました。そのうえで、日本の教育は世界一と思っています」

と答えました。すると、参加者一同が怪訝（けげん）そうな顔をしているのです。

そこで、講演の中で紹介した「クリティカルシンキング」の手法を思い出し、「他人の意見や思い込みに左右されるのではなく、自分の目で確かめるように」と質問した高校生に勧めました。彼は、この提言に興味を持ったようで、仲間を誘って自分たちで実際に調べたようです。

そして、彼は私に手紙をくれました。その内容については、後ほど紹介します。

十五歳を対象とした「国際学習到達度調査」の順位

「経済協力開発機構（ＯＥＣＤ）」が、世界七九カ国・地域の十五歳を対象として二〇〇〇年に実施した「国際学習到達度調査（ＰＩＳＡ：Programme for International Student Assessment）」において、日本は世界のトップクラスにいました。しかし、第一回目の二〇〇〇年以後、三年ごとに実施しているこの調査では、次第に順位が下がってきているのは事実です。

表1　PISA 調査における日本の国別順位

実施年	読解力	数学応用力	科学応用力
	Reading	Mathematics	Science
2000	8	1	2
2003	14	6	2
2006	15	10	6
2009	8	9	5
2012	4	7	4
2015	8	5	2
2018	15	6	5

表1に分野ごとの日本の国別順位の年度推移を示します。二〇一八年に実施されたPISAの結果では、日本は「読解力」が前回の二〇一五年調査の8位から15位と大きく後退したほか、「数学応用力」が前回の5位から6位に、「科学応用力」も2位から5位に順位を落としています。ただし、順位が下がったとは言え、いまだにトップクラスにいることも事実なのです。

二〇二一年発表の「世界大学ランキング」においてもトップ一〇〇に入る大学は東京大学と京都大学の二校だけあり、しかも、それぞれの順位も36位と54位と低迷しています。このため、一般の方からは、日本は世界に遅れをとっているという印象なのでしょう。しかし、ランキング入りできた大学は一五二七校で、世界のトップ四%だけなのです。日本の大学は一一六校が世界大学ランキングに入っており、これはアメリカについで世界第2位です。日本の大学のレベルが、決して低いわけではありません。

実は、教育に限らず、いまの若者は、日本の国そのものがダメと思っているようなのです。これは、とても残念です。バブル経済が崩壊し、その後、日本の経済は好転の兆しを見せていません。このため日本の国自体に元気がないことも確かです。

さらに、マスコミは、いつも日本のマイナス面しか報道しません。これでは、高校生が日本の教育がダメと思っても仕方がないように思います。日本にも誇るべきことがたくさんあるのですから、ぜひプラスの面も報道してほしいと、いつも思っています。

世界の競争は日本よりすごい

「ゆとり教育」から「脱ゆとり教育」へ

日本では、一九七〇年代後半に、暗記中心の詰め込み教育や、過熱ぎみの受験競争が、いじめ、不登校、少年の非行につながっているとの批判をうけるようになりました。特に、マスコミは連日のように「いじめ問題」を報道し、その原因が日本社会の過度な競争にあるとされていました。

政治家は世の風潮に敏感に反応します。そのため、偏差値*重視の教育を廃止しようという気運が高まり、「詰め込み教育」からゆとりのある教育に転換することが決まったのです。当時、私

＊注－偏差値教育というとマイナスのイメージがありますが、学力偏差値という考えは、子供たちの学修能力を評価する指標として、大変すぐれたものです。

は、マスコミによる印象操作が強すぎるのではないかと危惧していました。実際に、競争そのものが悪いわけではないと主張する教育者もいました。しかし、世の風潮が変わることはありませんでした。そして一九八〇年から、いわゆる「ゆとり教育」が始まりました。すべての教科の学習内容は一律に三割程度削られ、教科書の厚さが薄くなりました。

いざ、ゆとり教育が始まると、次第に、学習時間の削減が基礎学力低下を招いているという負の側面が指摘されるようになりました。そして、適度の「ゆとり」はよいが、「行き過ぎたゆとりはダメである」という批判の声も高まりました。

二〇〇六年のPISAの国際学習度到達調査で日本が低迷したことも、衝撃を与えました。表1に示すように、二〇〇三年調査に比べて、「読解力」は14位から15位へ、「数学応用力」は6位から10位へ、「科学応用力」は2位から6位へと低下しているのです。特に数学は二〇〇〇年調査では世界1位でしたので、10位という順位は各方面に大きなショックを与えました。そして、ゆとり教育に対する非難が強くなっていったのです。

二〇〇八年中央教育審議会は「脱ゆとり」の学習指導要領改訂を答申します。そして、脱ゆとり教育が小学校や中学校で実施されることになりました。ただし、ゆとり教育を完全に否定したわけではありません。「学力の保証」と「ゆとりある教育」を両立させることが重要とされたのです。

しかし、口で言うのは簡単ですが、「学力の保証」と「ゆとりある教育」の両立はそれほど簡単ではありません。なぜなら、現場からすれば、「ゆとりを求めること」と「学力を担保すること」は相反する施策だからです。

それでは、「ゆとり教育」導入のきっかけとなった日本の教育現場が過度の競争に曝されているというのは事実なのでしょうか。特に、日本の大学受験は過酷とマスコミから批判されています。ここで、世界の状況を見てみましょう。

韓国の教育事情

韓国の大学共通試験である「大学修能試験（スヌン）」の際の大混乱は、日本でも、よく報道されます。試験に遅刻しそうになった高校生をパトカーが誘導し、受験生のために、会社が休業するなど話題に事欠きません。これは、韓国が超学歴社会だからです。そして、社会全体が、この共通試験の重要性を認識しているからにほかありません。とても日本の比ではないのです。

韓国では一流大学に入ったからと言って安泰ではありません。とても就職がきびしい状況です。私が出会ったソウル大学の学生は、「サムスンやLG、現代など大企業への就職を視野に入れていますが、もともと採用枠が少ないので競争が大変です」と言っていました。韓国では新卒学生が正社員になれるのは一〇人に多くて二人ではないかという指摘もあります。そのほかは、職を得たとしても、アルバイトや契約社員と言われています。かなり苦しい状況です。そのため、大学に入ってからも、必死になって勉強する学生も多いのです。

先に述べたソウル大学の学生は、驚くほど英会話がよくできました。その学生に聞いたら、「自分はサムソンを狙っています。まわりの優秀な人間は、英会話ができるのは当たり前なので、自分のセールスポイントにはなりません」と言っていました。韓国の裕福な家庭では、中学、高校から欧米のサマースクールに毎夏、子供を通わせているので、英語力がネイティブに近い学生も多いと聞きます。

そして中国では

中国でも大学入試は国家の一大事です。「高考」と呼ばれる共通試験があり、受験生はなんと一〇〇〇万人以上です。日本の五七万人とは比べものになりません。国家重点大学と呼ばれる大学は八八校しかありません。残り一二〇〇あまりの非国家重点大学とは天と地の差があります。そして、中国では、入る大学によって、その後の人生が決まってしまうのです。競争は、日本の比ではありません。

そのため、海外に活路を見出そうとする中国人学生も多いのです。また、特権階級の家庭では、子供たちを中学、高校から欧米の学校に留学させることも多く、中国ではなく、海外の優良大学に子供を通わせるケースもあります。

アメリカでは

「アメリカの大学は、入りやすく出にくい」と日本ではよく言われています。日本の大学もそうしないと、「学生が勉強しないのでは」という指摘もあります。しかし、これにも誤解があります。アメリカの一流大学ともなれば、入るのは大変です。私の友人は、子供をハーバード大学に入れるため、小さい頃から勉強だけでなく、スポーツや音楽など、ありとあらゆる習い事をさせていました。家庭教師もつけます。有名大学に入るためには成績が優秀なのは当たり前で、そのほかの活動も重要だからと言っていました。日本以上の競争社会です。

一方、レベルの余り高くないアメリカの大学では、卒業は決して難しくありません。これは、学生の卒業率が低いと、大学の評判が落ちるからです。大学を卒業できないのでは、高い学費を払ってまで子供を入学させたくないでしょう。当たり前のことです。アメリカは、日本よりもはるかに厳しい学歴社会です。大学卒という資格があるかないかで人生が変わります。就職においても「大卒」資格を求めるケースが多いのです。

日本は学歴社会か

こうした諸外国の教育事情を眺めてみると、日本がはたして学歴社会なのかどうか、疑問に思えてきます。日本では、大学に行かなかった人でも社会で大活躍している人がたくさんいます。

日本は「過度の競争社会」という言葉がよく使われますが、世界を見ると、日本以上の競争が当たり前の社会なのです。学歴が人生に大きく影響を与えるのですから、教育は世界のどこでも注目を集めます。そして、常に非難にさらされる運命にあります。

私は、日本の社会は、海外ほどの学歴社会ではないと思っています。一流大学を出たからといって、必ずしも会社で出世できるわけではありません。実力さえあれば、きちんと評価されます。なぜなら、企業が生き残るためには、それが必要だからです。アメリカでは、大卒の資格がないだけで、採用されないケースも多いのです。

以下は、友人の人事担当者から聞いた話です。社会が順調に経済成長していて、特別なことをしなくとも企業が安定している時は、「人事は無難を好む」というのです。確かに、私が社会に出た四〇年前はそうした傾向がありました。たとえば、入社した時点で、どの程度出世できるかが大学の序列によって決まっていれば、社員から不満が出ずに、多くの人が納得したというのです。

振り返ってみれば、社会が経済発展していれば、無理に出世しなくとも、安定した生活が送れます。ちょうど五〇年前のアメリカがそうだったと思います。中流家庭であっても、プール付きの邸宅に住み、家族全員の車を買うことができました。海外旅行で日本に来たら、一〇〇ドルで三万六〇〇〇円のホテルに泊まれた時代です。いまでは、一〇〇ドルで一万円ですから、ビジネスホテルでないと無理でしょう。

四〇年前の日本では、企業において、暗黙の序列に反した人材登用をしたとたんに、いろいろな歪みが生じます。まず、重用されなかったほうは面白くないでしょう。自分は、一流大学を出ているのに、なぜそれなりの処遇がされないのかと。一方、序列に反して重用された人も、不安です。期待に応えないといけないとつい無理をします。よほどの自信家でない限り、居心地はよくないでしょう。結局、波風の立たない人事がよいということになります。このような時代は、確かに一流大学を出た人たちは、それなりの地位につけたと思います。

いまは「実力社会」

しかし、いまは違います。こんな人事をしていたら会社がつぶれてしまうからです。日本は学歴社会と言われますが、一般企業では、実力主義になっていると思います。企業の役員の学歴をみても多種多様です。そして、いわゆる一流大学でなくとも、いまの日本の大学ならば四年間きちんと勉強すれば、かなりの実力がつきます。偏差値が高くない大学であっても、教員と教育レベルは結構高いからです。

なにより、二〇〇〇年以降、高等教育の質保証が進んでおり、多くの大学が素晴らしい教育の取組みを展開しています。たとえよい大学に入っても四年間遊んだ人と、そうでない大学であっても四年間しっかり勉強した人では、後者のほうが、かなりの実力がつきます。会社に入れば、その違いは一目瞭然でしょう。

日本は教育立国

日本は、もともと教育熱心な国でした。明治から大正・昭和、平成、令和を通して一貫して国は教育を大切にしてきたのです。江戸時代もそうでした。

江戸時代の教育と塙保己一

鎖国をしていた江戸時代（一六〇三―一八六七年）にも、武士の子は藩校に通い、農民や町民の子らは寺子屋に通って、「読み、書き、そろばん」を習っていたのです。江戸時代の就学率は七〇―八六％と言われています。これは日本の国民が、武士を勤めるにも、商工業に従事するにも、農業をするにも、学問が重要であることを理解していたからです。知識や知恵は、文字によって伝えられます。国民が文章を読めるということは、国力が高い証拠なのです。当時の江戸を訪れた外国人は、街が整然としており、民意が高いことに驚いたことを記録に残しています*。

江戸時代に世界で最も進んでいる国はイギリスとはよく言われることです。でも、その時代のイギリスの就学率は、大都市であっても二五％以下とされています。識字率は、就学率にほぼ比例しますので、日本の識字率は、世界でも類をみないほど高かったということになります。

幼い頃の病気で聴力と視力を失い、話すこともできなかったヘレン・ケラーですが、その「三重苦」を克服して（その後、発声に対してはある程度話せるようになりました）世界的な篤志家となった彼女は、五十六歳のときに来日し、三か月半あまり日本各地を訪問します。昭和十二年のことです。来日のひとつの理由として、「私の尊敬する塙（はなわ）さんの国だから」と述べたそうです。

塙保己一（ほきいち）、一七四六年生まれですから江戸時代の人物です。病気で七歳のときに失明します。江戸時代の日本には、目の見えない人たちの職業訓練の組織がありました。互助の精神があったのです。江戸に出て盲人の職業団体である雨富検校に入門、塙は按摩・鍼・音曲などの修行をするものの、不器用なため、将来を絶望し、自殺も考えたそうです。そんな苦境のなかで、目の見える人以上の学問を身につければ、学者として幕府に登用される道があると知ります。そして、苦学の末に、日本を代表する国学者になったのです。『群書類従』『続群書類従』などの編纂者で、総検校ともなり、七十六歳で亡くなります。

ヘレン・ケラーは、塙保己一を目標として学問に精進したのです。しかし、それほど有名ではない塙のことをどうやって彼女は知ったのでしょう。

実は、電話を発明したグラハム・ベルが、彼女の支援者であったのですが、彼がヘレンのお母さんに話したそうなのです。「目が見えなくとも、学問で身をたてた素晴らしい先輩がいる」と。そして、それが彼女に勇気を与えたのです。塙さんにできたのなら、自分にもできるはずだと彼

＊注―たとえばツュンベリー（高橋文訳）『江戸参府随行記』平凡社東洋文庫（一九九四）。

女は思いました。

いかがでしょうか。日本という国は、昔から、身分に関係なく教育を受けることができたのです。しかも、教育を究めれば、政府に重用される国だったのです。まさに教育立国です。この事実を忘れてはなりません。

教育大国日本

ルーシー・クレハンというイギリス人女性教師が書いた"Cleverlands"（クレバーランド）という本があり、副題は"The Secrets Behind the Success of the World's Education Superpowers"となっています。訳せば「世界の教育大国における成功の秘密」でしょうか。日本では、早川書房から『日本の15歳はなぜ学力が高いのか？』（橋川史訳）という題で出版されています。

彼女は、中学校で三年間教鞭をとったのち、ケンブリッジ大学で教育学の修士号をとり、その後、二年にわたって世界を旅し、各国の教育を調査します。そして、帰国後、クラウドファンディング*（crowd funding）により本書を二〇一六年に出版しました。

五つの教育大国と国際比較

彼女の本で取り上げている五つの教育大国、すなわちクレバーランドとは、フィンランド、シンガポール、中国（上海）、カナダと日本なのです。本章の冒頭で、高校生が日本の教育は世界最低と考えていたのとは大きな違いです。私も、国際会議などで、世界の多くの国を訪問し、いろいろな人と話をしましたが、海外の人は「日本の教育は素晴らしい」とみな言っています。

ルーシーの本の良さは、国際比較を平等に行っていることです。

日本での教育批判は、海外の数少ない成功事例を取り上げ、それに比べて日本の教育はダメだと批判することが多いのです。たとえば、ハーバード大学のある授業を取り上げ、それに比べて日本の大学の授業は劣っているという批判があります。本当に比較するならば、アメリカ全体の大学の実情を調べ、総体として、どのような授業が行われているのかを見なければいけません。

ルーシーの視線で面白かったのは、日本の公立学校の平等性に関するものです。日本の公立では、先生が学校間を移動します。これは、学校間の教育レベルの格差を解消するためと聞いて彼女は驚くとともに、このシステムにいたく感心するのです。一方で、大学では同じ教員が四〇年以上も、同じことを教えています。これは、反省すべき点かも知れません。

日本人教師は優れている

この本で印象に残ったのは、ルーシーが日本の小学校教師から引き出したつぎの言葉です。

＊注—crowd は群集という意味です。funding は投資でありインターネットなどで不特定多数の人から寄附を募り活動資金とする制度です。見返りがある場合とない場合があります。

「私たちが長いあいだ教わってきた教育システムは、教師が一方的に教えるだけの教育でした。今はアクティブ・ラーニング（active learning）を採り入れなければなりませんが、それをうまく使える人は多くありません。」

おそらく、日本人教師の多くは同じような自己評価をしているのではないでしょうか。そして、それが生徒にも伝わり、冒頭のような日本の教育を卑下する若者が多いのかと思います。

それでも、ルーシーの日本の教育に対する印象は違います。彼女は、「日本人教師たちは、子どもたちに授業内容を理解させる能力に優れている」と高く評価しているのです。イギリスとの比較から、「日本の教師は必要な知識を教えたうえで、生徒たちが自力で問題解決するよう導いている」と評しています。ここで、「必要な知識」の修得ということが重要です。

アクティブ・ラーニングが推奨されていますが、この教育手法を活かすためには、学習者が必要な知識を持っていることが前提です。知識もないまま、いきなりグループ学習や討論をさせても意味がありません。浅学非才なものどうしが議論しても建設的な結果は得られないのです。

答えのない問題

アクティブ・ラーニングとともに「答えのない問題（the problem that has no solution）」に取り組むことが、いまの教育では大切とよく言われます。実社会に出たら、正解のない問題が数多くあり、それでも、なんらかの解決策を引き出す必要があるからです。よって、学校でも「答えのない問題」を子供たちに課すべきという提言もあります。

私は、これは早計と思っています。どんな複雑な問題に対処するにも基礎と基本が必要です。初心者は、答えのある問題に取り組み、それを解く訓練を繰り返すことにより、論理的思考力を養うことができます。そして、日本では、この基礎訓練を積んだうえで、子供たちに、さらに複雑な問題を解決させるという教育を実施しているのです。

私は、掛け値なしに、日本の教育は素晴らしいと思っています。一方で、万人すべてに歓迎される教育手法などありません。「学問に王道なし」と言われます。どんなに立派な教育をしていたとしても、必ず、どこかで不満が出ます。

マスコミは、この不満の部分をおおげさに取り上げ、日本の教育を非難する傾向にあります。日本がかつて「ゆとり教育」へとシフトせざるを得なかったのも、日本の教育が過度の競争をあおり、暗記主義や詰め込み教育が「いじめ」や「社会の落伍者を出す」原因となっているとマスコミから非難されたからでした。

日本の教育体制の優れているところは、学校だけで不十分な場合は、塾や予備校などが充実しており、補習が可能な点です。塾や予備校がある国は、世界にはほとんどありません。そして、学校教育だけではなく、これら教育機関の存在が、日本の教育の多様性を担保してくれているのです。アメリカでは、塾はありませんが、ランクの高い大学に入るためには、公立高校ではなく、私立高校に行くのが当たり前です。徹底した少人数教育と英才教育を施します。そのかわり、学費は年四〇〇―五〇〇万円と高く、普通の家庭では無理です。
また、日本においては、集団での学習になじまない子供たちには、そのための教育体制も敷かれています。有名な話は、小学校を退学させられた黒柳徹子さんが「トモエ学園」に転校して、彼女の個性を尊重してくれる教育を受けたことです。そのおかげで、いまの彼女があるのです。

国際成人力調査

先ほど、ＯＥＣＤが世界の七九カ国・地域の十五歳を対象としたＰＩＳＡ調査の結果を紹介しました。二〇一八年の調査では、日本は前回の二〇一五年調査よりも順位を落としたということも紹介しました。マスコミは、前回よりも悪かったという点のみを強調していますが、一方で、日本は、いまだに世界の上位に位置していることも事実です。ルーシーが本で書いたように、世界から見れば、日本は教育大国なのです。

ＯＥＣＤによる国際成人力調査

ＯＥＣＤは、十六歳から六十五歳までの大人を対象とした調査である国際成人力調査（ＰＩＡＡＣ）を二〇一三年に実施しています。ＰＩＡＡＣは、Programme for the International Assessment of Adult Competencies の略であり、国際共通基準のもとで、成人のコンピテンシー（高い業績・成果につながる行動特性）を計測する調査のことです。欧米を中心とした先進国であるＯＥＣＤ二四カ国が参加して行われました。

「読解力」（Literacy）「数的思考力」（Numeracy）「ＩＴを活用した問題解決能力」（Problem solving in technology-rich environments）という三分野を対象としています。表２に「読解力」の平均点の国別トップ５を示します。

日本は堂々のトップです。２位には、教育で定評のあるフィンランドが位置しています。続

表２　読解力の国別平均点

1	日本	296
2	フィンランド	288
3	オランダ	284
4	オーストラリア	280
5	スウェーデン	279

表３　数的思考力の国別平均点

1	日本	288
2	フィンランド	282
3	ベルギー	280
4	オランダ	279
5	スウェーデン	278
5	デンマーク	278

表４　ITを活用した問題解決能力の国別平均点

1	日本	294
2	フィンランド	289
2	オーストラリア	289
4	スウェーデン	288
5	ノルウェー	286
5	オランダ	286

いて、オランダ、オーストラリア、スウェーデンと、いずれも教育で定評のある国々が並んでいます。、日本は、読解力だけでなく、表3ならびに表4に示すように、「数的思考力」、「ITを活用した問題解決能力」においても世界第1位なのです。

これらの表を見ると、トップに来る国の顔ぶれがほぼ同じことが分かります。ベルギーも顔を出しますが、北欧の国が多いです。しかし、これらの国を抑えて、日本は、すべての分野で堂々のトップとなっているのです。マスコミは、この結果をあまり取り上げません。しかも、この調査結果はおかしいとケチをつける評論家さえいます。日本がトップになるのはおかしいというのです。一方で、2位につけているフィンランドは素晴らしいと礼賛したりもします。

PIAACの結果は快挙であり、日本の教育が優れていることの証左と、私は考えています。また、高年齢まで日本人の教養が高いということも、海外に行ってみると実感します。これは、日本では、企業においても社内教育が充実していることが一因と思います。また、年配の方々が、カルチャースクールに通って、自ら勉強されている姿にも感心させられます。自信を持って良いのです。日本は教育立国であり教育大国なのです。

若者の調査結果

PIAACでは、年代別の分析も行われています。例として、表5に十六歳から二十四歳までの若者の「読解力」の結果を示します。

上位の顔ぶれは、同じですが、韓国が4位に入ってきています。十六歳から六十五歳の結果では、韓国は二七三点で12位でした。つまり、韓国の若者は勉強を頑張っているのです。すでに紹介したように韓国は、日本よりも競争社会です。それだけに親も教育熱心となっています。それが反映された結果ではないでしょうか。

　つぎに、「数的思考力」についても、同様に、十六歳から二十四歳までの若者の結果を表６に示します。

表５　16－24歳の若者の読解力の国別平均点トップ５

1	日本	299
2	フィンランド	297
3	オランダ	295
4	韓国	293
5	エストニア	287

表６　16－24歳の若者の数的思考力の国別平均点トップ５

1	オランダ	285
1	フィンランド	285
3	日本	283
3	ベルギー	283
5	韓国	281

　統計的には優位な差はないとはいえ、日本はトップではなくなっています。また、十六―六十五歳の結果では、二六三点で16位だった韓国が５位と大健闘しています。やはり、韓国の若者は頑張っているのです。

　日本の大学生は勉強しないと、よく言われます。入学は大変だが、卒業は「ところてん」とも呼ばれており、もっと卒業要件を厳しくしないと大学生は勉強しないとも言われています。しかし、ＰＩＡＡＣの結果を見ると、日本の若者は「読解力」と「数的思考力」、いずれにおいても世界のトップレベルの成績を納めています。私は、日本の大学生は勉強していないという認識は間違っていると思っています。特に、理工系の学生は、大学においてもよく勉強します。クリティカルシンキングの章でも紹介したように、日本の教育について論じる際には、自分の思い込みや根拠のない意見ではなく、事実、すなわち、数値データに基づく分析が重要であることがＰＩＡＡＣの分析からもよく分かります。

アメリカの調査結果

ところで、高等教育が高く評価され、世界大学ランキングでも上位を独占しているアメリカの結果はどうだったのでしょうか。実はどの分野でも苦戦しています。十六歳から六十五歳までの大人を対象とした「読解力」の平均点は二七〇点で15位（日本は二九六点）、「数的思考力」の平均点は二五三点で21位（日本は二八八点）、「ＩＴを活用した問題解決能力」の平均点は二七七点で17位（日本は二九四点）です。

グローバル化によって、アメリカの大学には、世界各国からトップクラスの学生が集まってきますが、彼らの成績は出身国のデータに反映されます。一方で、失礼ながら、アメリカ国籍の若者の成績は、それほど高くはないのです。

高校生からの手紙

それでは、最後に、冒頭の高校生からの手紙を紹介します。

「村上先生が言われた日本の教育は世界一という言葉に大変驚きました。私も含めて、多くの友人が懐疑的だったと思います。ただし、先生の講演でのクリティカルシンキングの手法を思い出し、友人二人を誘って自分たちなりに調べてみました。（……中略）

結論を言えば、日本の教育は世界一と自信を持っては言えませんが、決して最低レベルなどではなくトップクラスであることを確信しました。また、日本に住んでいる自分たちが、いかに恵まれているかも実感しました。

私は、文系ですが、大学に入り、社会に出てからも、クリティカルシンキングの手法を使い、思い込みや意見（opinion）ではない事実（fact）を常に自分の目で確かめていきたいと思います。ありがとうございました」

私は、この手紙を受け取り、とても豊かな気持ちになりました。そして、改めて教育の大切さを実感しました。

第4章　ランダム・ウォーク

何もしなければ貧富の差は拡大する

「ＶＵＣＡ時代」の到来によって、世界情勢もとても不安定になっています。「ポピュリズム（populism）」や「国粋主義（nationalism）」が世界各地で台頭し、アメリカやヨーロッパでも政情不安が進んでいます。イギリスがＥＵから離脱するBrexit（ブレグジット：Britain［イギリス］とExit［立ち去る］の造語、英国ＥＵ離脱問題の意）に伴う混迷など、まさに、その好例でしょう。

アメリカの格差社会と世界のビッグフォー

世界情勢が不安定になっている背景のひとつは、多くの人が現状に不満を持つようになったことにあります。アメリカでも、この四〇年で自分たちの暮らしは悪くなったと感じている人が大勢いるのです。それでは、アメリカは、本当に貧しい国になったのでしょうか。そんなことはありません。いまだに世界一の大金持ちです。「ＧＤＰ（国内総生産：gross domestic product）」

は、もちろんダントツの世界一位であり、優良企業の多くが、アメリカに集中しています。

GAFA*やビッグフォー（Big four）と呼ばれる巨大IT企業はGoogle（グーグル）、Amazon（アマゾン）、Facebook（フェイスブック）、Apple（アップル）の四社ですが、すべてアメリカの企業です。これらの企業は、ベンチャーからスタートし、いずれも社長が巨万の富を得たことで知られています。

それでは、アメリカでは何が起こっているのでしょうか。それは、四〇年前に比べて貧富の格差が拡がっているということなのです。いまや、トップ一〇％の金持ちが、アメリカ全資産の九〇％を握っているとも言われています。アメリカだけではなく、世界中で貧富の格差は拡がっており、世界のたった八人の大富豪が、地球人口の下位五〇％の資産に相当する富を握っていると言われています。

このような貧富の格差が拡大すれば、アメリカの国自体が裕福としても、その富が偏在するため、多くの人は貧困となり、大衆の不満は高まることになります。二〇一五年九月、国連は、「持続可能な開発目標SDGs（sustainable development goals）」の17ある目標#を採択し、その10番目に「人や国の不平等をなくそう」を掲げています。それでは、どんな対策をとればよいの

＊注－スコット・ギャロウェイ著、渡会圭子訳『the four GAFA 四騎士が創り変えた世界』（東洋経済新報社、二〇一九）。
#注－SDGsの17の目標に関しては、第11章で紹介します。

でしょうか。

酔歩の理論――格差は拡大する

何もしなければ貧富の格差は自然に拡がっていくことが知られています。これも「エントロピー増大則」の一面です。たとえば、ゲームの勝ち負けの確率が等しいとしましょう。勝つのも負けるのも同じ確率であれば、勝ったり負けたりで、一晩かけて勝負したとしても、あまり差は生じないように思いますが、いかがでしょうか。

実際はそうならないのです。大勝ちするか大負けするかのどちらかです。不思議ですね。ここでも、クリティカルシンキングの手法が重要となります。論理的に考えるのです。

この現象を説明できる簡単な理論があります。英語では、"random walk theory"、日本語では「酔歩(すいほ)の理論」とも呼ばれています。そのまま「ランダム・ウォーク理論」と呼ぶこともあります。酔歩とは「酔っ払いの歩き」のことです。

では、この理論について簡単に説明しましょう。

酔っ払いの分布

いま、酔っ払いが一〇〇〇人東京駅にいたとします。もう終電が終わっているので、酔っ払い

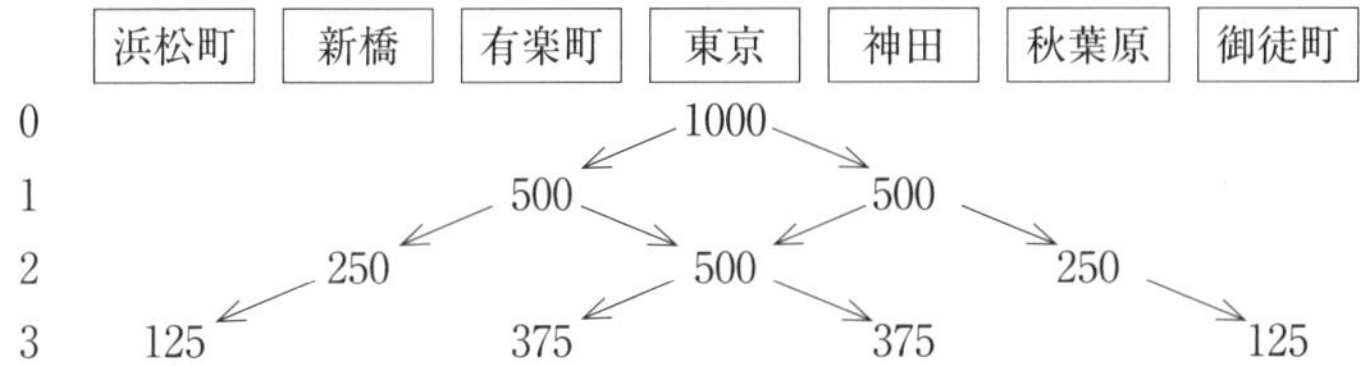

図12　酔っ払いの分布の時間経過

は有楽町駅方面と神田駅方面に歩くとします。一時間に一駅歩けるとしたら、八時間後には、酔っ払いたちはどうなっているでしょうか。

どちらの方向に行く確率も同じなのですから、右往左往するので、東京駅あたりをうろついているものと思われます。どうでしょうか。それでは、実際に考えてみましょう。クリティカルシンキングの基本は、思い込みや、印象ではなく、実際に自分で考え、計算してみることです。

右に行く確率も、左に行く確率も同じとすると、図12に示すように、一時間後には、有楽町駅に五〇〇人、神田駅に五〇〇人の酔っ払いが移動することになります。ここまでは大丈夫ですね。

それでは、つぎの一時間後には、どうなっているでしょうか。有楽町駅にいた酔っ払いのうち二五〇人は東京駅に戻ってきます。残りの二五〇人は新橋駅に移動します。一方、神田駅にいた酔っ払いのうち二五〇人は東京駅に戻り、残り二五〇人は秋葉原に移動します。結局、図12に示すように二時間後には、東京駅には五〇〇人、秋葉原駅に二五〇人、新橋駅に二五〇人が到着します。

そのつぎの一時間後はどうなっているでしょうか。このとき一二五人が御徒町駅へ、一二五人が浜松町駅に移動します。そして、東京駅にい

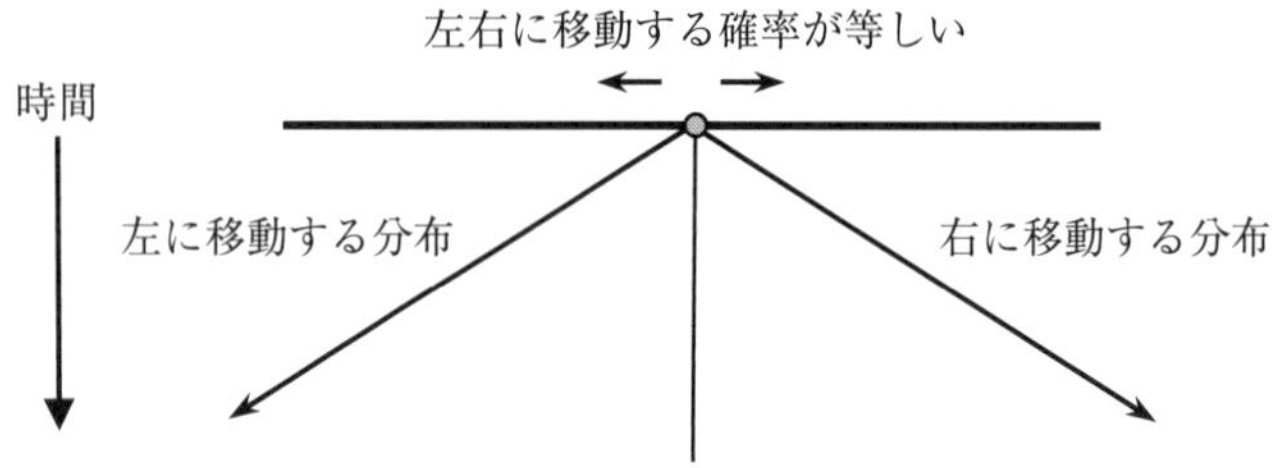

図 13　右に行くのも左に行くのも同じ確率であっても、時間とともに分布は拡がっていきます。勝ち負けも同じで、勝負を続ければ、大勝ちする人と、大負けする人がどんどん増えていくのです。

る酔っ払いの数は、時間とともにどんどん減っていきます。

京浜東北線の路線で考えれば八時間後には、田端駅や、蒲田駅にまで分布は拡がり、一日二十四時間が経てば、終点の大宮駅や大船駅に到着する酔っ払いも出てくるのです。右に行くのも左に行くのも同じ確率であるにもかかわらず、どんどん酔っ払いの分布は拡がっていくのです。

二項分布――分布は拡がる

この分布は「二項分布」（binomial distribution）といいます。酔っ払いの数をどんどん増やしていった極限は「正規分布」になることが知られています。

この理論は、身近な現象である「拡散」にも適用できます。たとえば、水にたらしたインクの動きを考えましょう。インクの分子にとっては、上下左右、どの方向に移動する確率も同じです。とすれば、中心付近にいてもおかしくないようにも思えます。しかし、実際には、たらしたインクはあっという間に周辺部へと拡がっていきます。煙突から出た煙も同じです。こちらは三次元空間の拡散となり、あっという間に大気中に拡がっていきます。これら不可逆現象は、すでに紹介した「エントロピー増大則」によって説明できます。

どうでしょうか。これが現実です。そして、富めるのも貧するのも同じ確率であったとしても、時間とともに、貧富の格差は拡がるだけなのです。これがいま、世界で実際に起こっていることです。

格差を止めるのは教育

酔歩の理論は、私たちにいろいろなことを教えてくれます。まず、思い込みで物事を判断してはいけないということです。なにかを決断するとき、一度、立ち止まって、論理的に考えてみることが大切です。クリティカルシンキングの基本です。必要に応じて、紙と鉛筆を使うのもよいでしょう。

それでは、どうすれば貧富の格差の拡大を止めることができるのでしょうか。答えは簡単です。それは「教育」です。西日暮里から田端に向かおうとする酔っ払いに、そっちは間違った方向ですよと、だれかが一声かければよいのです。ちょっとした助言で人は変わります。

分かっている人が分かっていない人に知恵を授ける、まさに、教育です。教育こそが希望であり、格差を止めるベストな方法となるのです。教育によって、いろいろなことを学べば、なにをすればよいかも分かるようになります。先ほど紹介した国連が設定した「ＳＤＧｓ」の４番目に「教育」が入っています。

日本の企業風土

第３章で紹介したように、日本は世界に類をみない教育立国です。しかも教育は、学校だけでなく、社会に出てからも行われています。たとえば日本では、企業においても、先輩が後輩を教育する風土があります。この教育によって、後輩は先輩を尊敬します。一方、先輩にとってもメリットがあります。自分が培った技術を後輩に伝えることは、大きな喜びです。そして、自分の技術が継承されることは自分の存在意義を確認することになります。

そしてなにより、人は「他人に教える」ときに、自分も大きく成長します。他人に教えるためには、自分がよく分かっていないといけないからです。「一を教えるためには百学ぶ必要がある」と言われています。

日本の多くの企業は、いまだに「終身雇用制」に近い制度を採用しています。これに対しては、非難の声もあります。この制度のために「家族より仕事を優先する人間が増える」などです。また、「年功序列制度」に対しても、仕事ができないのに、年齢が高いというだけで給与が高いのはおかしいという指摘もあります。実力主義ではないから、日本の企業はダメなのだと言う人もいます。

しかし、同じ企業に長く勤めるからこそ、先輩は後輩に技術を安心して教えるのです。簡単にやめてライバル会社にいくような人間に、自分の技術を教える人はいないでしょう。また、ライフサイクルを考えれば、年功を給与に反映することは間違いではありません。ある年齢になれば、子供が大きくなり、教育や子育てにお金がかかります。独身時代とは違います。

さらに、終身雇用だから仕事を優先するという考えは間違いです。むしろ欧米企業のように競争が激しければ、それこそ仕事を優先しないと生き残れない人が増えるでしょう。

年功序列制度の問題点は、人材登用にあるのではないでしょうか。年上というだけで上司では困るという事例は多く聞かれます。しかしこの問題は、登用した人間に人を見る目がなかっただけです。また人は、年をとれば、若いときのような頑張りは効きません。だったら給与を安くすべきと若い人は言いますが、自分もやがては年をとるということを忘れてはいけません。

日本は企業長寿国

日本には「人」と「もの」を大切にする文化が根付いています。実は、日本は世界に類を見ない企業長寿命国なのです。企業年齢が一〇〇年を超える会社が三万三〇〇〇社以上あり、世界第1位です。二〇〇〇年を超える企業も一三〇〇社を超え、世界の六五％です。「長寿命企業（long-lasting firms）」の数は日本がダントツの世界一なのです（表7）。これは、多くの経営者が従業員のことを常に考え、無理をせず、身の丈にあった経営に努めているからなのです。

表7　世界の長寿命企業数の国別比較

創業100年以上

1	日本	33076
2	アメリカ	19497
3	スウェーデン	13997
4	ドイツ	4947
5	イギリス	1861

創業200年以上

1	日本	1340
2	アメリカ	239
3	ドイツ	201
4	イギリス	83
5	ロシア	41

日経BPコンサルティング周年事業ラボ、雨宮健人氏の記事（2020年3月）より転載

アメリカでは、よくトップが変わります。しかも目の飛び出るような報酬をもらうこともあります。しかし、やっていることは従業員を解雇したり、儲からない部署を閉鎖しているだけの場合も多いです。これでは、会社は長持ちしません。短命で終わります。増収・増益と聞くと成長している素晴らしい企業というイメージがあるかもしれません。マスコミも称賛します。しかし、増収・増益を永遠に続けることは不可能なのです。

それよりも、いまある会社の規模を維持できる身の丈にあった商売でよいのではないでしょうか。

急成長企業

急成長する会社は、社会から注目されますが、必ずひずみも出ます。会社を急拡大すれば「酔歩の理論」で見たように、組織の意に反して、違った方向を向く者もたくさん現れるからです。それを制御することは難しいのです。

注目の経営者

あるシンポジウムにパネリストとして参加したとき、急成長しているというソフト開発会社のトップと同席する機会がありました。彼は、政府からも注目されており、いろいろな省庁の審議会委員もしているということでした。

しかし、彼と話をしていて、会社の将来はちょっと危ういのではと思いました。彼は「日本では、東大を出てもろくなやつがいない。わが社は、世界の優秀な人材を集めている」と豪語していました。たとえば、「インド工科大学の学生には優秀なものが多い。東大など取るに足らない」と言うのです。

さらに、彼の方針にも驚かされました。短期間で人数を急激に増やしているというのです。優秀な人材ならば、一年で三〇〇〇人採用してもよいと。「一気に急拡大したのでは、統制がとれないのでは」と聞きましたが、「日本と違って、世界の優秀な人材は自分で仕事を持ってくる」というのです。もし本当にそうならば人数を増やしても問題はないかも知れません。しかし、実際には難しいのではないでしょうか。

一方で「ものづくり技術」に対する考えも気になりました。「いまやソフトの時代であり、ハードでは金儲けはできない」という主張です。「人件費の高い日本で、ものづくりをやっていても意味がない」とも言っていました。これは、バブルのころによく聞いたセリフです。しかし、不安定なハードのうえでは、せっかくのソフトも活かせません。経営者としては、その点を忘れてはいけないはずです。

失速

それからしばらくして、この会社は、ソフト開発が期限に間に合わず、複数の企業から訴訟を起こされたと聞きました。結局、海外の投資ファンドに基幹部門を売ることになったようです。経営者が自信にあふれ、若者からも働きやすい会社と評価されていただけに残念でなりません。

社内イノベーション

現在、世界を席巻する企業としてビッグフォーのGAFAを紹介しました。その中にマイクロソフトが入っていないことに気づかれたでしょうか。マイクロソフトは一九七五年に創業されましたので、二〇二〇年で四五歳ですが、急速に、その影響力が低下しています。*

アメリカ企業は短命

アメリカの優良企業の寿命は一五年と言われています。多くの評論家は、「日本の企業には活力やダイナミズムがない。だから、イノベーションを起こせない」と非難しています。

しかし、いくら流動性が大切と言っても、たった一五年で会社が消えていくのでは、従業員は安心して勤めることなどできないのではないでしょうか。こう言うと、「才能がない人間は、だからダメなんだ」と怒られそうです。自分に能力さえあれば、どんな企業や組織でも立派に務まるというのです。

社内起業が可能な日本

しかし、日本で長生きしている企業をよく見ると、きちんと社内イノベーションを起こしています。そして、うまく工夫しながら、会社の収益を確保してきたのです。

ブラザー工業は、かつてミシンが主力製品でしたが、いまでは、情報プリンティングが主流です。コニカミノルタはカメラで有名な会社でしたが、いまでは電気機器メーカーとなっています。富士フィルムは、カメラフィルムを生産していましたが、いまや精密機器メーカーであり、医薬品分野に進出して成功しています。

一方、かつて、カメラ用フィルムで世界を席巻したアメリカのコダックは、カメラ事業に拘泥しすぎたために、つぶれてしまいました。[#]

＊注—ただし、コロナ禍の中で、業績を伸ばし、ＧＡＦＡに迫る勢いと言われています。ＡＩ事業も順調なようです。コロナは、いままでの企業勢力図に影響を与えています。ただし、マイクロソフトの試練は今後も続くでしょう。

#注—二〇一二年に一度倒産しましたが、二〇一三年会社の規模を縮小して、再出発しています。

このように、日本の多くの企業は、社内イノベーションによって新規の分野を開拓し、厳しい企業競争のなかを勝ち抜いてきているのです。

そして、なにより日本の企業では、利益を社内で分け合うという風土があります。少々の利益が出たからと言って、企業のトップが多額の報酬を独り占めすることもありません。その分、ボーナスなどで社員に還元します。

金儲け主義の限界

リーマンショック以降、日本でもアメリカ型の新自由主義が是とされ、金儲けをする人を成功者とみなす風潮も出てきました。[*] また、アメリカにならって、多額の報酬を受け取るCEOも登場し、それを、マスコミが賞賛しています。報酬額が高いほど、よい経営者とみなす記事も散見されます。

しかし、金で人生が豊かになることはありません。「真の友情」、「家族との絆」、「愛する人の心」などは金では買えません。そのことに気づくべきです。日本の会社が社内でイノベーションを起こせるのは、社員との絆・信頼があるからではないでしょうか。互いの信頼がなければ、社内で新しい事業を立ち上げることは、とても難しいと思います。それどころか、こっそり、会社の技術を持ち逃げする輩も出てくるかも知れません。

一極集中

一見可逆に思える現象であっても、何もしなければ、格差は拡大していくことを紹介しました。コインのトスゲームのように、勝つ確率と負ける確率が同じであっても、一晩続ければ、引き分けではなく、大勝ちするか大負けするかの確率が高くなります。自然現象はすべてそうですし、人間社会においても、貧富の格差はこれに相当します。

田舎から都会へ

しかし一方で、これとは真逆の現象も起きているのです。それは、都市への人口一極集中です。これは日本だけでなく、世界の多くの国で同様の傾向が見られます。本来のランダム・ウォークや拡散の原理からすれば、人は大都会から田舎へと移動するはずです。過疎の田舎から密集した都会に人口が集中するのは、拡散の法則とは真逆であり、エントロピー増大則という観点からは、とても不思議な現象なのです。

つまりこの現象は、自然なものではなく、人為的なものということになります。その理由を考

＊注ーもちろん、経営者が利益を独り占めする会社はリーマンショック以前にもありました。

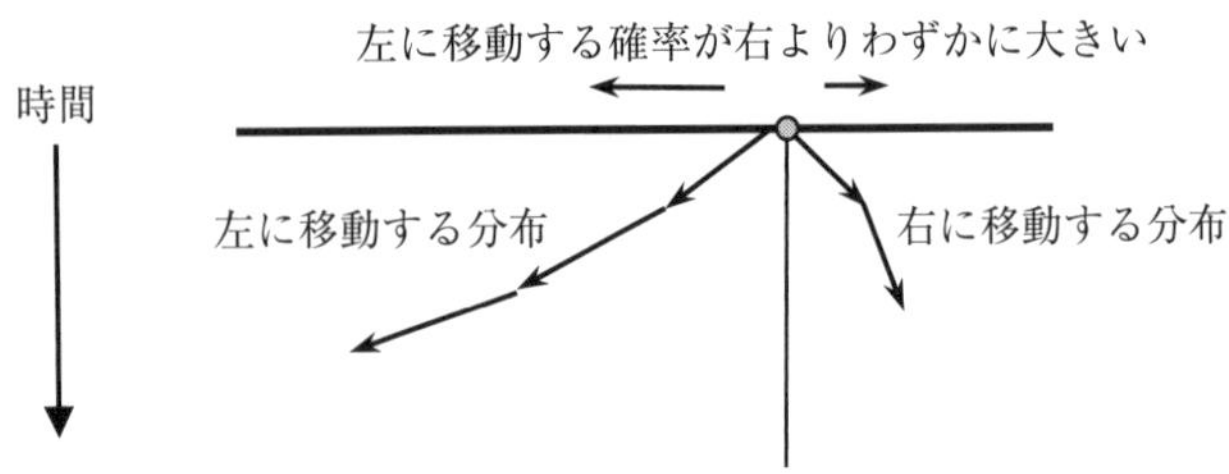

図14　左に行く確率が右に行く確率よりもわずかに大きいだけで、時間とともに左側に移動する分布は増えていきます。

えてみましょう。そのひとつは仕事があるかどうかです。人間は働かないと生きていけません。そして給与を得るための職場は都会に集中しています。また、若者は娯楽にも関心があります。男女の出会いも、人が多ければそれだけチャンスも増えます。このため、都会に人が集まってくるのです。

また、人は互いに支え合っていかないと、生活ができません。原始の社会では、人はとてもか弱い存在でした。やがて人は集団で狩りをし、一緒に暮らして食を分け合うようになります。互いに協力してコミュニケーションを発達させ、死者や先祖を敬い、子育てを協力し、弱者を助けるようになります。他者や先祖の知恵が伝達され、農耕や牧畜が始まり、家畜やペットが増えてくると、集団生活の単位がひとまわり大きくなります。このようにして、地球上で生態系の頂点に立つ存在となったのです。

エントロピーがすべてではない

なんらかのインセンティブが働く場合には、人間社会では、単純なエントロピー増大則とは逆の現象が生じることがあります。

ここで、簡単な計算をしてみましょう。

先ほどまでは、右に行くのも左に行くのも同じ確率でした。ここでは、右に行く確率が左に行く確率よりも一割だけ低いとしましょう*。するとどうなるでしょうか。一〇回の試行で、右に行く人は四割以下に減ります。（これは、〇・九を一〇回かけた $0.9^{10} = 0.35$ に対応します）。計二四回の試行を繰り返した後では、右に行く人はほぼゼロ（$0.9^{24} = 0.08$）となります。つまり、少し確率が異なるだけで、まったく違う分布となり、世界が変わってくるのです（図14）。

先ほどの「酔っ払いの動き」に、この確率の違いを適用したらどうなるでしょうか。すなわち、東京駅を出発した酔っ払いが大宮方面に行く確率を、横浜方面に行く確率の〇・九倍とするのです。その結果、二四時間後には、新橋駅から横浜方面を漂う酔っ払いの数が圧倒的に多くなります。

貧富の格差を止めるには

この事実は、貧富の格差を抑制するためには、劇的な対策など必要なく、少しの工夫でよいことを示唆しています。たとえば、「累進課税制度」は貧富の格差を抑える対策のひとつで、収入の多い人ほど、支払う税金の割合が高くなるという制度です。これならば貧富の格差を縮められ

*注―たとえば、左が都会、右が田舎と考えることもできます。

るはずです＊。

一方で、日本では六〇％の人が所得税を払っていません。このため、税負担に対する不満が大きいのも確かです。そして節税の名のもと、税金逃れが横行しているのが現状です。企業の場合、赤字ならば法人税を払わなくともよいので、意図的に赤字となるよう調整をする会社もあるようです。税制度もエントロピー増大則から逃れられないのです。

さらに、ちょっとした工夫で格差拡大が抑制できるのは初期の話です。残念ながら、いったん拡がってしまった格差を減らすには劇薬が必要となります。国民総背番号制#などは、その一例ですが、すでに骨抜きにされています。

エントロピーが地球の命を支える

これまでは、エントロピーをあたかも悪者のように扱ってきました。「エントロピー増大則」が、無秩序や混沌を増すと述べてきたことの反映です。しかし森羅万象、よい面もあれば悪い面もあるのです。実は、エントロピーの増大がないと、地上の生物は死滅してしまうのです。

酸素は命のもと

私たち人類は、酸素がないと生きていけません。人間を含む動物は、酸素を吸い、二酸化炭素を吐き出す「呼吸」により生きていくためのエネルギーを得ています。

実は、植物も昼も夜も「呼吸」することが知られており、酸素を吸い、二酸化炭素を吐き出しています。からだを大きく成長させたり、葉を増やし、花を咲かせるのに必要なエネルギーを呼吸から得ています。植物に十分に光が当たっているときは、「光合成」といって二酸化炭素を取り入れ、酸素を吐き出すことで養分を作り出します。植物が「呼吸」と「光合成」の両方を行っているときには、みなさんご存知のように、「二酸化炭素を減らし、酸素を増やしているのが植物の姿」というわけです。

地球の大気の約二〇%が酸素であり、約八〇%が窒素です。そのおかげで人類は生きていけるのです。もし酸素濃度が一八%を下回ると、人間は昏睡状態に陥り、場合によっては死んでしまいます。

ところで、地球には万有引力があり、地球上のあらゆる物質は地表面に引きつけられています。私たちが大地に足がついて安定しているのも、家やビルが建っているのも重力のお陰なのです。

さて、大気中の酸素分子にも重力は働いています。とすれば、すべての酸素分子が大地にへば

*注―そのためには、集めた税金の使い方が重要です。政府の予算編成を見ていると、既得権益を守ることに重点が置かれていますが、貧富の格差を縮めるための前向きな施策にぜひ有効利用して欲しいと思います。
#注―アメリカでは一次滞在の外人にも番号が発行され、課税対象になります。台湾がコロナ対策で成果を挙げたのは国民の動向を把握できたからです。

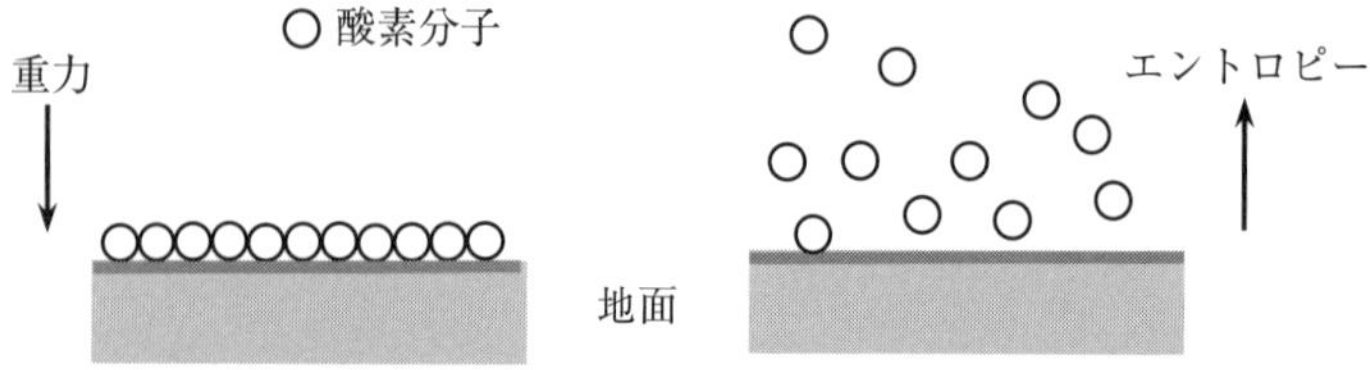

図 15　地球では酸素分子にも重力が働くので、酸素分子は地面に引き寄せられていますが、エントロピー増大則によって、酸素分子は大気中に漂い、動物たちは呼吸ができるのです。

りついても不思議ではありませんね。その場合は、二足歩行の人間は呼吸ができずに死んでしまいます。

気体の自由度とエントロピー

なぜ酸素分子は、重力の束縛から逃れて空気中を漂っていられるのでしょうか。それはエントロピーのお陰なのです。煙突から出た煙が拡散するのは、エントロピー効果であると紹介しました。図15に模式図を示します。

重力によって酸素分子は地面に引き寄せられるので、本来は地べたに付いていてもおかしくありません。しかし、これはエントロピー最小の状態です。酸素分子は軽いので（分子量32）、その動きに自由度が大きく、エントロピー効果によって拡がるのです。この結果、酸素分子は地表面に密集するのではなく、大気中を漂います。ただし、上空に行くにしたがい重力は弱くなるため、酸素濃度も減っていきます。高山で空気が薄いのはこのためです。

エントロピー増大則によって酸素分子は空気中を漂い、そのおかげで、人類も動物も生きていけるのです。

酸素分子は音速より速く動く

以上は、いささかエントロピーに肩入れし過ぎた説明のきらいがあります。実は、室温では、酸素分子は音速よりも速い速度で動いています。*一秒間に400mという速さです。酸素に限らず、多くの気体は（質量によって異なりますが）ものすごいスピードで動いています。これが大気圧を生じます。普段、私たちは大気圧をまったく感じません。体の中も外も大気圧となっているからです。しかし、分厚いドラム缶であっても、その中の空気を抜いてしまえば、ドラム缶は大気圧によってすぐにつぶれてしまいます。

酸素分子よりも軽い気体のヘリウム（分子量4）は、室温での速度は、秒速1kmとなります。この結果、かなりの高さまで重力に逆らって分布することができます。実は、宇宙を構成する元素の九八％は水素とヘリウムです。

水素原子は核の外を回る電子が一個、ヘリウム原子は電子が二個ですから、これらの元素は単純な構造をしていると言っていいでしょう。だから存在量が多いのです。水素の方は、地球では水（H_2O、水素と酸素から成る分子）という安定な形で存在しますから、たくさんあります。

しかし、不活性ガスであるヘリウムの方はほとんど地球に残っていません。不活性ガスというのは、他にネオン、アルゴンなどがあるのですが、化学反応を起こさない安定した気体をいいま

＊注―気体分子運動論という学問分野で取り扱います。興味のある方は拙著『なるほど統計力学』（海鳴社）を参照してください。

す。分子量も軽く、速度が速いヘリウムは、地球誕生から四六億年という長い時間をかけて宇宙へと散逸してしまったようなのです。

本来、地球の重力圏から物体が宇宙へ脱出するためには、秒速11kmという速度が必要です。宇宙ロケットもこのスピードで重力圏外に出ていきます。ヘリウム分子が上方の薄くなった大気圏でこの速度に達するということはなかなかないのですが、ごくわずかな可能性ならありえます。そしてヘリウムは、四六億年という気の遠くなる歳月をかけて地球から宇宙へと旅立っていったのです。

私の専門は超伝導で、かつて実用化されている超伝導機器の多くが液体ヘリウム温度（マイナス269℃）で超伝導状態（電気抵抗が0）となる物質を使っていましたから、冷却コストが高いという欠点がありました。またその際、液体ヘリウムを使うのですが、地球誕生初期は大量にあったヘリウムは、地中深くの岩石にわずかに残っているのに過ぎないのです。ヘリウム資源は、取り出すのにやはり高いコストがかかります。

幸いにも、一九八六年以降は、高温超電導の発見で、より高い温度で超伝導になる物質が次々と見つかってきたため、コストの低い液体窒素冷却で済むようになりました。

第5章　ＡＩは人を超えるか

シンギュラリティとＡＩ脅威論

米国の未来学者のレイ・カーツワイルが二〇〇五年に出版した"The singularity is near"（邦訳では『ポスト・ヒューマン誕生』ＮＨＫ出版）では、「二〇四五年には人工知能（ＡＩ）が人類の知能を超える」と予言し、そのときをシンギュラリティ（singularity）と名づけたのです。日本語ではこの用語を「特異点」あるいは「技術特異点」と訳されます*。

一方で、カーツワイルは、ＡＩは人類に豊かな生活をもたらすとも言っています。これまで刊行された多くのＳＦ小説では、ＡＩは人類を滅ぼす悪役として登場しますが、彼はＡＩのよい面も強調しているのです。一方、宇宙の研究で有名な物理学者スティーヴン・ホーキングは、ＡＩは人類に悲劇をもたらす可能性があると警告します。また、かのビル・ゲイツもＡＩに批判的な

＊注－英語の singularity は特異点という意味です。技術的特異点に関しては、technological singularity をあてることもあります。

見解を示しています。

人工知能脅威論が社会に広くクローズアップされたのは、二〇一三年、オックスフォード大学のカール・フライとマイケル・オズボーンによって発表された「雇用の未来」（The future of employment）という論文です。彼らは「二〇年以内に労働人口の四七％がＡＩに代替されるリスクがある」という予想を発表したのです。労働者の約半数が失業するという発表が、世界の大きな注目を集めたのです。

日本の雑誌やマスコミも次々と関連記事を載せました。かつての銀行の窓口業務がＡＴＭという機械の登場でまったく様変わりした例なども引き合いに出され、どんな職種がＡＩに代替されるかという特集が組まれたのです。

一九九六年、ＩＢＭのコンピュータ「ディープブルー」が、チェスの元世界チャンピオン、ガリル・カスパロフを六戦六勝で破った日は人工知能の歴史における画期的なできごととされてきました。そして、そのころから将棋で、人工知能とプロ棋士たちとの戦いが始まったのです。当初は、人工知能はなかなか勝てなかったのですが、二〇一四年あたりから人工知能が優勢となります。

二〇一六年には、グーグルが開発したＡＩ搭載型コンピュータソフトの「アルファ碁」が、囲碁の世界チャンピオンを破って話題になりました。このＡＩには「機械学習」が応用されたことから、世界的ブームを呼び起こすきっかけになりました。

将棋では、二〇一七年五月二十日、ＡＩ「ボナンザ」が将棋名人に九時間の激闘の末、勝利を収めたのです。

計算の限界

電子計算機の進展には目を見張るものがあります。一九四六年二月に完成した、米国ペンシルバニア大学のジョン・モークリーとジョン・プレスパー・エッカートによって考案・設計された黎明期の電子計算機「ＥＮＩＡＣ（Electronic Numerical Integrator and Computer）」はひとつの教室をいっぱいに占めるほどの大きさがあったのです。それが今日では、その能力をはるかに凌ぐパワーをもつスマートフォンが手のひらの上に載るサイズです。そのため、人間が従事している仕事の多くが、ＡＩやロボットに取って代わられるという予想も出るほどです。「ＡＩが人を超える」というのは本当のことでしょうか。これから、この問いにいろんな角度から検討を加えていこうと思います。

三体問題

「天気予報」のことを思い出してください。これだけ科学が発展し、コンピュータの能力が高まっているのに、なぜ明日の天気予報を間違えるのでしょうか。いや、一時間後の天気でさえ予

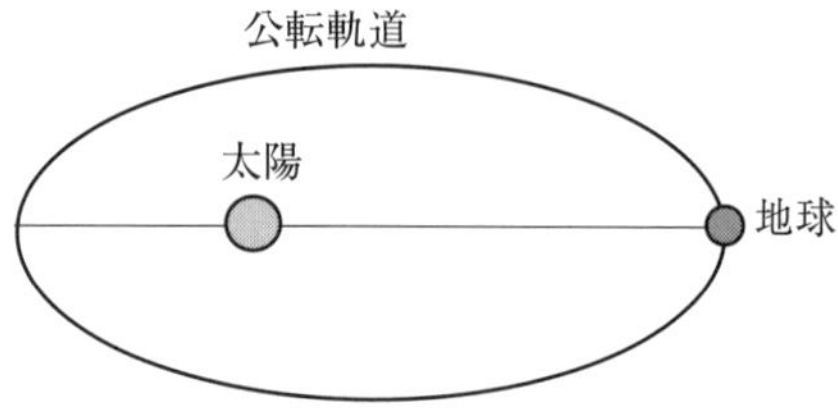

図16　2体問題：太陽のまわりを地球が公転する軌道は、ニュートンの運動方程式によって厳密に計算することができます。

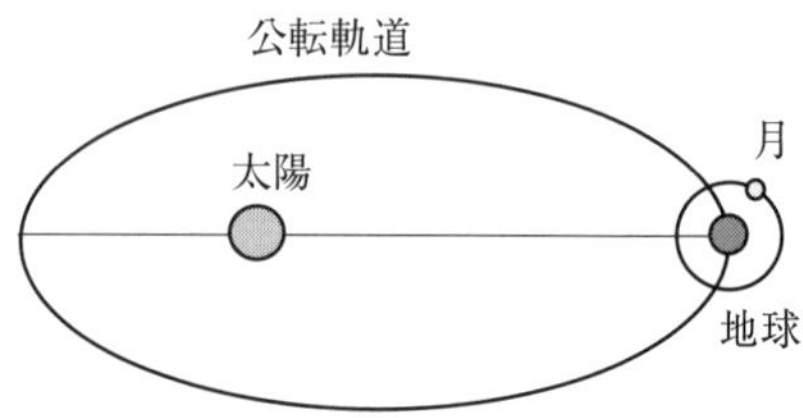

図17　3体問題：月は地球のまわりを回っています。この影響を採り入れ、太陽と地球と月の3体となると、公転軌道は計算不能となるのです。

測できないことあります。実は、その背景には根本問題があるのです。

私たちが住む地球は、太陽系の一惑星であり、太陽のまわりを約三六五日かけて公転しています。

太陽と地球の二体だけに注目してニュートンの運動方程式を解くと地球の公転軌道を正確に計算することができます*（図16）。これを「二体問題」と呼んでいます。

ところで、地球のまわりを月が公転しています。海の満ち引きは月の引力によって生じます。とすれば月の影響を無視できません。しかし、月の影響を加味したとたん、地球の公転軌道の厳密計算は不可能となるのです。どんなに高性能のコンピュータを用いても計算できません。これを「三体問題」と呼んでいます（図17）。

太陽と地球の二体だけならば位置決めができます。ここに月が入ってくると、月の影響で地球の軌道を修正しなければなりません。その結果、地球の軌道が変わりますから、太陽との相対位置に影響が出ます。すると、その位置の変化は月に（実際には地球にも）影響を与えます。よって月の軌道も変わりますので、先ほど計算した地球の軌道も変化します。地球の軌道が変化すれば、太陽の位置も修正しなければなりません。このループ（月→地球→太陽→月→…）が永遠に続き収束することはありません。このため、三体問題は計算不能となるのです。

物体の数がたった三体に増えただけで計算不能となることはにわかには信じられないかも知れません。しかし、これが現実なのです。

世界は「多体問題」だらけ

私たちが住んでいる世界にある物質は、三体どころではありません。物体を構成するミクロの物質、すなわち原子や分子の世界を考えると、その数は余りにも巨大となります。そこで、われわれは分子の数ではなく、一モル（mol）という単位を導入します。一モルの定義は６×10^{23}個の単位粒子からなる物質量のことであり、この数をアボガドロ数と呼びます。

こうすると何が便利かというと、化学反応がモルで考えられるからです。

たとえば、二個の水素分子と一個の酸素分子の反応によって、二個の水分子ができますが、分

＊注－厳密な意味では、太陽と地球は「質点」ではなく大きさがあるので、二体の場合であっても正確な解は得られません。

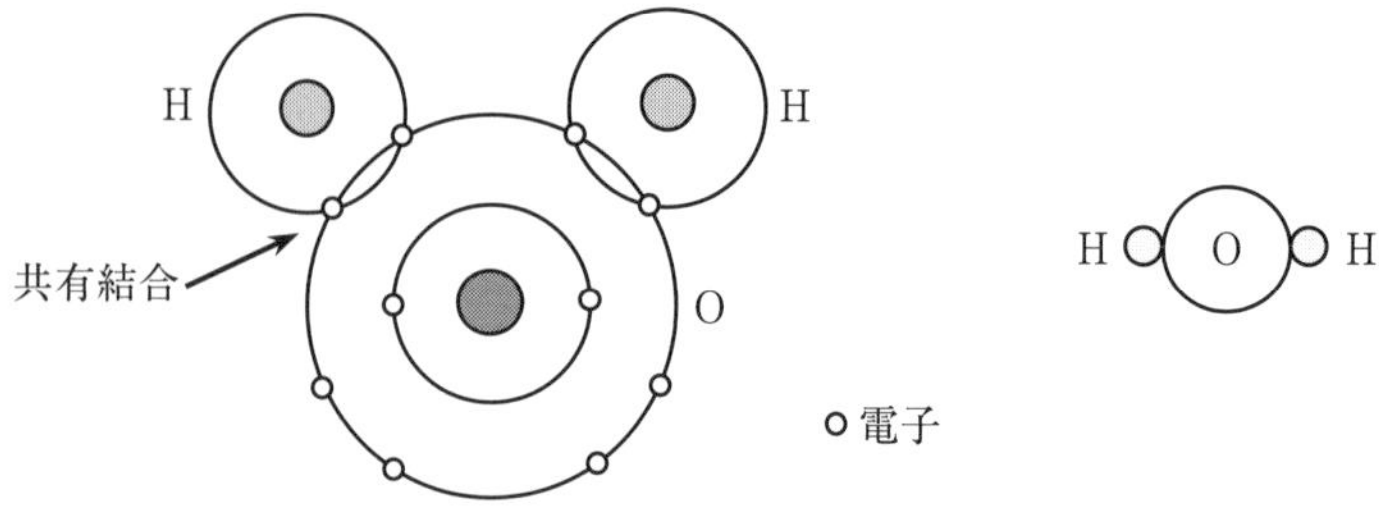

図18　水分子の構造。H-O-Hのなす角は104.5°です。常識的に考えれば、右のような対称形となるのが自然ですので、不思議な構造なのです。

子は小さすぎます。しかし、モルを使えば、二モルの水素分子と一モルの酸素分子の反応によって、二モルの水分子ができると言い換えられます。それぞれの分子の一モルは2g、32g、18gと分かっているので実験が可能です。

しかし、たった一モルで6×10^{23}個の分子があるのですから、これらの分子の相互作用を計算することなど不可能です。これを「多体問題」と呼んでいます。そして多体問題に機械であるコンピュータがまともに取り組むことは不可能なのです。このように、私たちの世界のまわりには、計算できない問題が山積しています。

水の不思議

みなさんは、水は0℃以下では氷となり、室温では水、そして100℃以上では水蒸気となることは知っていますね。多くの物質は、低温では固体、高温では気体、そして中間温度では液体となることが知られています。この現象を「相変態（あるいは相転移ともいう）」と呼んでいます。そして、あらゆる物質が相変態することが知られています。たとえば、金属の鉄は室温では固体ですが、１５３６℃で溶けて液体となり、２８６３℃で蒸発し気体となります。

ところで、水の分子はH_2Oで、図18に示すように、水素原子二個と酸素原子一個からできています。しかし、この構造は少し変わっていて、左図に示す、ミッキーマウスの両耳のように、水素原子が偏った位置にあります。酸素原子であるＯの両側に水素原子が手をつなぐように、右図のようにＨ-Ｏ-Ｈと対称形となるのが当たり前のような気もしますが、その角度は一八〇度とならず、一〇四・五度となるのです。[*]ただし、この非対称な構造のおかげで水は特異な性質を示します。地球上にたくさんの生命が生きていられるのは、この水分子の構造のおかげなのです。まさに天の配剤としか思われません。

水は生命の源

この奇妙な構造によって、水は特異な性質を示します。[#]まず、こんなに軽い元素でできた固体である氷が融け出す水の融点が０℃と異常に高いのは、実に不思議なことと言われています。[☆]も

＊注－量子力学を基本にした量子化学の手法である分子軌道法を使うと、この角度が安定になることが分かっています。
＃注－水素の非対称な配置のために、水分子が互いに結合し、あたかも大きなクラスターを形成しているのが特異性の原因と考えられています。
☆注－水の分子量は18ですが、それよりもずっと重い酸素O_2分子（分子量32）の融点はマイナス１６９℃であり、窒素N_2分子（分子量28）の融点はマイナス１７３℃です。

し水の構造が非対称でなかったならば、水の融点はマイナス200℃以下だったはずなのです。これでは、人間は生きていけません。

さらに、水は、この非対称な構造のおかげで、比熱が異常に高いという性質も有します。つまり、水は温まりにくく、冷めにくいという性質を持っています。比熱の小さい金属は、熱すればすぐに熱くなりますし、空気中で簡単に冷えます。

地球の表面を覆う海水は、地表の面積の七〇%を占めます。陸地の二・四倍の面積です。この存在のために、地球温度は、生物が住める環境にあるのです。もし水がなければ、月がそうであるように昼は灼熱地獄（110℃）、夜は寒冷地獄（マイナス170℃）となるはずです。地球に生物が存在できるのは、水のおかげなのです。

未解明の相変態

水に限らず、すべての物質は相変態することが知られています。しかし、量子力学をもとに、コンピュータなどを駆使して、いくら物質の構造を調べても、その相変態を説明することはできないのです。実は、相変態は一個の分子では生じません。多数の分子が集まって、はじめて生じる現象なのです。それでは、いったい何個の分子が集合すれば、相変態が起こるのでしょうか。これも謎なのです。

「統計力学」という学問をもとに、それを解明しようという努力は続けられていますが、人類が、いまだに解けない多体問題のひとつです。

なぜＡＩはゲームに勝てるのか

ルールの決まった世界

それでは、コンピュータが囲碁や将棋においてプロの棋士たちに勝つことができたのはなぜなのでしょうか。あれだけ、複雑な対戦にもかかわらずです。その答えは簡単で、「打つ手が決まっている」からなのです。これらゲームには、きちんとしたルールがあり、例外がないのです。つぎの一手をどこに置くかはルールで決まっています。そのことを、以下のより単純化したゲームで見ていきます。

「三目並べ」というゲームを考えてみましょう。先に三個並べたら「勝ち」、それを図19のような3×3の9升で勝負してみます。交互に○と×を入れていき、一列に三個並べた方が勝ちとなるものです。この場合、両者が最善をつくせば必ず「引き分け」となることが知られています。

このゲームを9升から5×5の25升に増やすと、「先手必勝」となります。それ以上に升の数を増やしても先手必勝は変わりません。このようにルールが決まったゲームでは、ゲームの先読みが可能となります。この単純なゲームに比べて、ルールが複雑なチェスや囲碁であっても、次の一手を置く場所はルールで決まっていますので、先読みが可能となるのです。その結果、何万手という手先を読めるコンピュータが勝つことになります。

ゲームとは異なる現実世界

「現実の世界」はどうでしょうか。ゲームの世界と異なり、例外だらけです。平気でルールを破る人もいます。将棋の駒の「歩」が後ろに進んだり、同じ列に「歩」を二個置いたら、その時点で負けとなりゲームは終わりますが、現実社会に終わりはありません。人生もそうです。したがって、実社会において事に対応するためには、柔軟性が必要となるのです。これは、機械には無理です。人間だけができる芸当です。

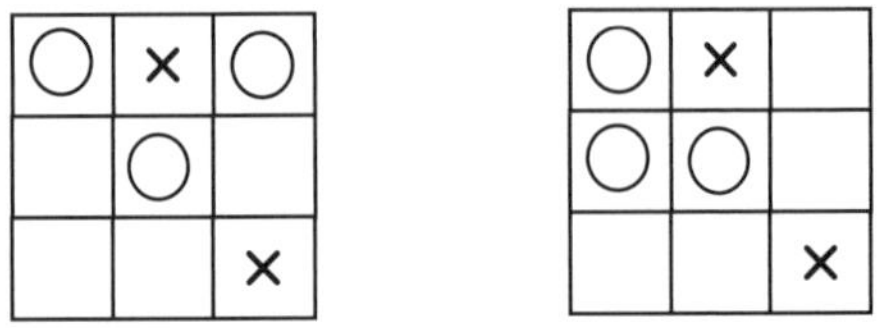

図19　3目並べ。どちらも巧者ならば必ず引き分けになります。上図の対戦は、いずれも×の番ですが、右図に示した対戦では、×がどこに置いても、○の勝ちが決まっています。

コンピュータが天気を計算で予測できないのは、気象が莫大な数からなる多体問題だからです。空気や水や二酸化炭素などの数知れない分子からなる大気の運動を正確に計算するなど、もともとできない芸当なのです。そこで、過去のデータをかき集め、経験則に基づいて、なんとか天気を予報しているのです。「夕焼けは晴れ、朝焼けは雨の予兆」「大雪の年は豊作」など、昔の人も経験則をもとに天気を予報していました。

天気予報は難しい

芝浦工大の学長時には、台風シーズンともなると、その進路がいつも気になっていました。なぜなら大学を休講にするかどうかを前日までに判断しなければならないからです。＊「どうか通り道からはずれてくれ」といつも祈っていました。ここで頼りになるのが、台風の進路予想ですが、結構、はずれてしまいます。判断を誤ると、学内から苦情が殺到します。休講を決定したのに、朝起きたら快晴だったときなどは最悪です。とはいえ、気象は多体問題なのだから仕方がないと自分に言い聞かせていました。

最近は、天気予報にもＡＩが利用されています。過去の膨大なデータから、似たような気象条件のときに、台風がどのような進路をとるかを予測することができます。しかし、発表する機関によって予想が異なるのも事実です。これは使うソフトや入力データが異なるためです。

つい最近、台風の進路予想がありました。ある気象予報士が、半分笑いながら、ＡＩがこんな予想をしていますと見せたのは、日本列島に近づきながら、その直前でＵターンするという風変わりなものでした。「こんな進路はありえません」と予報士は笑って話していたのですが、驚くことに、実際に台風はＵターンしたのです。過去にも、そのようなケースがあったのでしょう。

このように、コンピュータは計算で多体問題を解くことはできませんが、膨大なデータからパ

＊注―当日の早朝に判断ということもありましたが、遠方からの通勤や通学を考えると、当日では間に合わないという意見が出ました。

ターン認識することはできます。これがＡＩの得意分野のひとつです。初期の癌の診断などには最適でしょう。

宇宙からの帰還

私は、かつて宇宙実験をしたことがあります。宇宙の無重力空間であれば、大型の単結晶状の超伝導材料をつくることができるというアイデアを実現したものです。

Ｈ－Ⅱロケット*を使い、九州の種子島から実験装置を打ち上げました。宇宙空間で実験を行ったあと、地球に帰還します。この際、宇宙空間における軌道はほぼ真空で無重力ですから、実験装置の重量と地球の重力だけを考えればよく、ニュートンの運動方程式を使って正確に計算することができます。二体問題とみなせるからです。

問題は、地球に帰ってくるときです。宇宙で実験した成果物を地上で受け取る必要があります。ところが、地球のどこに落ちて来るかが計算できないのです。どのあたりに落ちてくるかは大体の検討がつきます。しかし、その範囲は実に広いのです。誤差の大きさが一五〇kmに及ぶこともあります。なぜでしょうか。多体問題となるからです。

実験装置から発射された帰還機が大気圏に突入したとたん、空気の流れ、風の向き、雨か曇りか晴れかの天候などによってその動きは，計算不能となるのです。私の実験では、日本近海の太平洋上に落として回収する予定でした。大気に突入したら、パラシュートを開きます。そして帰還機が着水したらビーコンを作動させて、無線で着水地点を特定できるようにしていました。しかしその前に、目視により帰還機を探さなければいけません。デジタルの世界が、突然、アナログの世界に変わるようなものです。人間が双眼鏡を使って、目で探すのです。

幸い、私の実験モジュールは無事回収できましたが、過去の実験では行方不明になったことも結構ありました。数年たってから、オーストラリアの砂漠で帰還機の一部が発見されたというニュースもありました。また、海に着水したにもかかわらず、それを見つけることができずに、そのまま海に沈んだこともあったようです。やはり多体問題はやっかいです。

人間の柔軟性

世の中の事象はすべからく多体問題です。よって厳密解はえられません。ほぼすべてが計算不能なのです。ならば、なにもできないと人間はあきらめるでしょうか。いや、簡単にはあきらめません。これが人間の素晴らしさなのです。そして、人間には、機械にはない柔軟性と大胆さがあります。

＊注―エイチツーあるいはエイチニロケットなどと呼ばれます。三菱重工と宇宙開発事業団が開発した人工衛星打ち上げ用ロケットです。

人の知恵と大胆さ

二体から三体へ、そして多体問題へという単純な拡張がだめならば、別の方法を考えます。たとえば、いきなり多体から始めたらどうなるだろうというまったく逆の発想もできるのです。一モルの物質のなかに含まれる粒子の数はアボガドロ数の6×10^{23}個という莫大な値ですから、普通に考えれば粒子間の相互作用を考えること自体が無理なはずです。

そこで、その中のたった二個だけに注目します。これならば二体問題となりますので、計算が可能です。それでは、残りはどうするのでしょうか。この残り$6\times10^{23}-2$個の粒子の影響は、まとめて「バックグランド」として処理してしまうのです。大胆ですが、これでも結構、それなりの解が得られるのです。

コンピュータが苦手な無限大

機械であるコンピュータに苦手なものに「1÷0」という計算があります。この計算は無限大となりますが、コンピュータでは対処できずに、エラーと出ます。計算プログラムの中に、この無限大が紛れ込む（つまり0で割ってしまう）ことがありますが、一巻の終わりです。

大学時代に、長時間をかけて作ったプログラムを、計算機センターで走らせたらエラーが出て困惑したことがありました。当時は、プログラムを動かすためには、わざわざセンターに足を運んで、自分でカードを読みこませて操作していました*。長蛇の列ができるので、かなりの時間待たされるのです。それでエラーが出たらやり直しです。再び、列に並ばなければならないので悲惨でした。機械は「1÷0」には対応できないのです。

ところが、人間はエラーが出たからと終わりにはしません。なぜだろうか、なにかがおかしいぞと考え、そこから思いもよらぬブレイクスルーを生みだすこともあります。

たとえば、朝永振一郎の「くりこみ理論」は無限大に人間が柔軟に対応した結果、生まれたものです。ここでは、正確ではありませんが、単純化した説明をします。電子間には反発力が働きますが、その力は距離ｒの二乗に反比例しますので、ｒ＝0で無限大に発散し計算不能です。そこで、ｒ＝0で有限の値を持つと仮定してしまうのです。この値には、すでに実験等で分かっているものを使えばよいのです。この結果、無限大という困難を乗り越えることができ、ノーベル物理学賞の受賞につながりました。コンピュータには、こんな大胆なことはできません。人間は、柔軟性と、マイナスをプラスに変える力を持っています。

＊注―カードといっても紙製のものです。当時は、パンチカードに孔をあけて、プログラムを操作していました。その前はテープに孔をあけて、プログラムを動かしていたのです。テープでは一箇所でも間違えれば入力のし直しですが、カードならば、そこだけ変えればよいので、大変便利でした。いまでは笑い話ですが。

観察――多体問題への人類の挑戦

世界のあらゆる現象は多体問題であり、それを計算で解析するのは不可能であるということを説明しました。人間のよいところは、厳密計算が不可能な場合であっても、知恵と工夫によって多体問題に柔軟に対応できることです。

そして人類は、多体問題に対処するための強力な科学的武器を持っています。そのひとつが「観察」です。人は、自然界で起きている様々な現象を観察することで多くのことを学んできました。

たとえば、八百屋やスーパーに並んでいる様々な野菜は、人間が長い年月をかけて野生の植物から作り出したものです。

稲作や麦の栽培なども同様に、最初は野に自生していた植物を観察することで栽培に踏み切り、どうしたら食べる部分を大きくできるか、などの品種改良を加えてきたのです。

漁業や林業も試行錯誤の歴史です。縄文時代にはすでにマグロやカツオ、マスやサケ、フグまで食べていたことが知られています。

コペルニクスは一四七三年生まれのポーランドの聖職者でしたが、若い頃イタリアのボローニャ大学で天文学と数学に深い関心を寄せるようになり、またパドヴァ大学で医学を学び、医者になります。そして天体観測を長く続けるうちに、十六世紀になって、いくつかの遊星がアリストテレスやプトレマイオスの天動説では説明のつかない動きをしていることに気づき、太陽が動いているのではなく、地球がほかの遊星と同様に太陽のまわりを回っていること、そして、地球が自転していることを確信します。当時はだれもが地球が宇宙の中心であるという天動説を信じるなかで、観測によって、地動説が正しいと確信したのです。太陽のまわりを年に一度の周期で回っていること、一日に一回自転していることも主張しています。彼の著作『天球の回転について』は彼の死後、一五四三年になってから刊行され、キリスト教的宇宙観に大きな衝撃を与えましたが、カトリック教会からはずっと異端として否定され続けました。

十七世紀、「振り子の等時性」の発見で知られるガリレオ・ガリレイは望遠鏡を使った天体観測を行い、月に山や谷があることを見つけ、木星に四つの衛星があることを発見します。また、金星が満ち欠けするときに大きさを変化させることを見つけ、太陽の黒点を観測します。そうした観測結果から、コペルニクスの地動説が正しいと主張しますが、宗教裁判によって否定され続けます。「それでも地球は動く」とのガリレオの言葉は、一六六三年、二回目の異端審問（宗教裁判）の後のつぶやきでした。* ローマ教皇庁からは有罪の判決を受けます。ガリレオ六十九歳のことです。

＊注－ガリレオの言葉ではなく、後世の人が創作したという説もあります。

実験——人類が有する科学的武器

複雑な多体問題に対処するために、人類はもうひとつ強力な科学的武器を有しています。それが、「実験」です。人は、実験によって、いろいろな科学的知見を得ることができるのです。

「昇華」という奇妙な現象

「相変態（相転移）がなぜ起きるのか」、そのメカニズムを理論的に説明することは、現在はまだできていません。実験によって、液体である水が０℃以下では氷となり、１００℃以上では水蒸気となることを確かめることができます。多くの人が再現実験を行うことで、それが普遍的な事実であることも確かめられます。

その他の物質についても、実験を行うことで、相変態があり、低温では固体、高温では気体、そして中間温度では液体となるという科学知識を得ることができたのです。固体、液体、気体を「物質の三態」と呼んでいます。

一方、二酸化炭素は相変態において、奇妙な挙動を示します。それは、大気圧下では液体状態がないということです。つまり、二酸化炭素は、液体を経ずに、いきなり固体から気体になるのです。この現象を「昇華」と呼んでいます。二酸化炭素の固体はドライアイスと呼ばれていて、

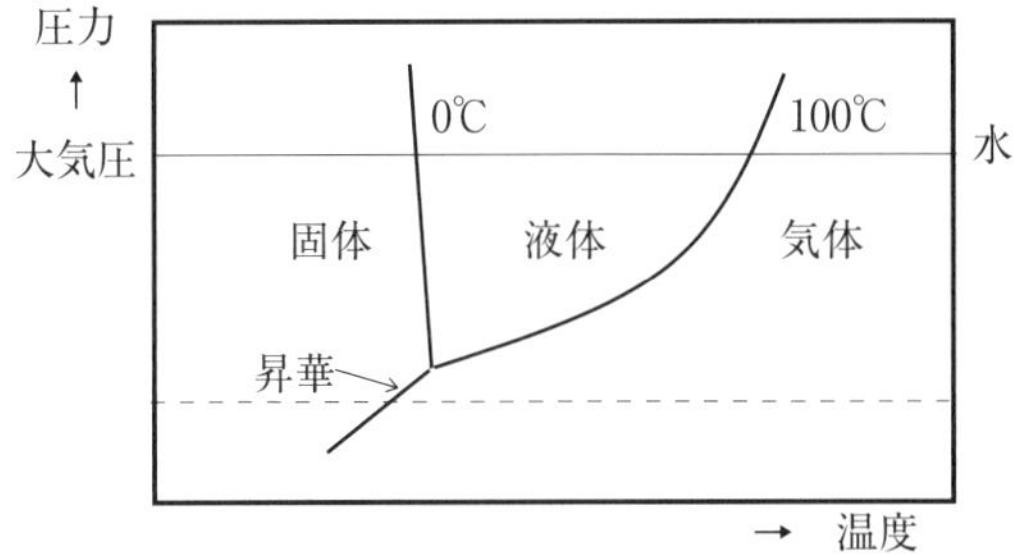

図20　水 H_2O の相図。普段われわれが生活している大気圧下を実線で示しています。この図で分かるように、さらに圧力が低下していくと、点線で示したように、水にも「昇華現象」が生ずることが分かります。

その温度*はマイナス７８・５℃ですので、冷却剤として使うことができます。しかも液体状態がないので、液だれすることもなく取り扱いが便利です。冷却剤として使用したあとは気体となって、まさに雲散霧消してしまうからです。

身近で昇華現象を生じるものに樟脳（しょうのう）#があります。防虫剤の一種であり、液体にならずに気化して、防虫作用を示すので、たんすに入れることができます。

しかし、なぜ二酸化炭素では固体からいきなり気体となるのでしょうか。液体は分子間の相互作用が固体よりも小さく、分子の運動が自由な状態です。気体は液体よりも、さらに分子の運動が自由な状態です。このため外圧が低いと、気体となって自由空間に拡散したほうが、液体のかたちで凝縮しているよりも安定な

*注—正式にはドライアイスの温度の上限がマイナス78.5℃です。この温度は、固体として存在できるぎりぎりの温度であり、固体から気体に相転移する温度です。専門的には昇華点と呼ばれています。

#注—化学式は $C_{10}H_{16}O$ です。無色透明な結晶で、特異な芳香を持ちます。くすのきの幹などを蒸留してつくられます。

のです。

一方、二酸化炭素も圧力をかけていけば、水と同じように、「固体→液体→気体」という物質の三態を示すことも分かっています。そして、温度と圧力をパラメーターとした実験によって、固体、液体、気体がどのような条件で出現するかが分かる「相図（phase diagram）」をつくることができたのです（図20）。相図のことを「状態図」と呼ぶこともあります。

実験は科学的アプローチ

いまでは単一物質だけではなく、複数の物質間の反応も分かる状態図がつくられており、人類の所産となっています。たとえば、製鉄業は状態図を利用して、その工程を管理しています。また、世界に誇る「日本刀の強靭性」の秘密も状態図によって明らかにされています。

このように理論的な解明が困難な多体問題であっても、人は実験によって科学的なアプローチができるのです。そして、きちんと管理された実験のもとで得られる知見は、人類共通の科学的所産として蓄積できるのです。さらに新たな発見があったときにも、第三者による再現実験*によって証明が可能です。

人は分からないことがあっても、実験によって科学的検証をしてきました。それが、人類の知的遺産となっています。その上にたって、科学も発展させてきたのです。人間には「観察」と「実験」という強力な科学的武器があります。実験を駆使することで多体問題にも対処できます。

これは、ＡＩなどの機械にはできません。

もちろん、実験には純粋な好奇心だけではなく、金儲けの要素もありました。その代表例が錬金術です。鉄や銅を金に変えることができれば、大儲けができたからです。このため、多くの科学者が錬金術にはまったのです。残念ながら、卑金属から金をつくることはできませんでしたが、そこから多くの科学的知識が得られたのも事実です。

マイクロソフトの失敗

繰り返しになりますが、人間には、柔軟性と創造性があります。一方、機械であるコンピュータやＡＩには、これらの能力はありません。もちろん、莫大なデータを記憶し、（ある規則に沿って）処理する能力はあるでしょう。知識の蓄積と、その検索などはコンピュータが得意な分野です。しかし、問題もあります。データに間違いがあっても機械は気がつかないということです。だれかが悪意をもって誤ったデータを忍び込ませたら、機械は、それに反応します。

二〇一六年三月二十三日に、マイクロソフトが世に送り出したＡＩ搭載のチャットボットのＴａｙは、差別用語を連発し、ナチスを崇拝する言動を始めて、三月二十五日で撤退しました。[#] そ

＊注―逆に再現できない実験結果は事実とは認められません。科学的発見があったとき、他者によって再現できることが、新発見として認定される条件のひとつとなります。

＃注―チャットボットのＴａｙが発信した言葉も残されていますが、内容が不適切なので、ここでは紹介できません。

の後、プログラムを修正して、三十日に再度ネットに登場しますが、このチャットボットも一日で撤退します。コンピュータに入力したデータは消せません。どんなにひどい内容であっても、善悪を判断できないコンピュータは、それに反応してしまうのです。

一方、人間には「忘れる力」があります。受験勉強などでは、自分の記憶力が優れていたら、どんなによかっただろうと思った人もいるでしょう。しかし、過去のことを全部覚えていたら人間は生きていけないと言われています。恥ずかしいことや、嫌なことを忘れることができることも人間の特徴のひとつなのです。

最近、人事採用にＡＩを使おうという企業が増えています。日本では、かつては大学の指定校制度や、推薦制で採用というのが当たり前でした。よって採用候補者の数も限定されていました。しかし、いまでは自由応募が当たり前となっています。これなら、大学による学歴フィルターがなく、平等だと言う人もいます。

しかし、自由応募となると、人気のある大企業では三万人を超える応募があります。その仕分けを人がこなすことは不可能です。そこで登場するのがＡＩです。人間ではなくＡＩを使えば、感情に左右されずに、公正で信頼性の高い採用候補の選別が可能となると考えられるからです。

アマゾンの失敗

二〇一八年、アマゾンが、有為な人材を採用するためにＡＩを利用したところ、女性が差別されるという現象が起きました。過去のデータによれば、幹部社員のほとんどが男性だったという事実に基づくものです。*しかし、そもそも過去の女性採用数が少なかったため、このような結果となったのです。ＡＩ信奉者は、これはプログラムの作り方に欠陥があったのであり、ＡＩの責任ではないとしています。いずれ正しいデータを入力しなければ、誤った結論を導くということには変わりません。そしてデータを選んで入力するのは人間なのです。世の中ではＡＩによる分析が大流行です。信頼性があるということを喧伝したいがためにＡＩを枕言葉に使うことも多いです。しかし、入力するデータでＡＩの回答は変わります。つまり、自分たちの都合のよいように、ＡＩからのアウトプットをコントロールできてしまうのです。これは、スーパーコンピュータでも同じことです。

機械は壊れる

さらに、機械は必ず壊れるということも忘れてはいけません。多くの人はソフト、つまり計算能力や記憶力のことに気を取られがちですが、コンピュータは数多くの部品からなる機械なのです。これらの部品には、いろいろな材料が使われていますが、その性能は時間とともに必ず劣化します。特に、空気中に含まれる酸素は、金属にとっては強烈な有害ガスです。エントロピー増

＊注—ＡＩが、人間から与えられたデータをもとに学習するしかないという欠陥を露呈した例です。

大則に従えば、金属は空気中では、より安定な酸化物に変化していきます。これを「腐食」と呼んでいます。鉄が錆びるのは、この現象です。

みなさんのスマホやパソコンも、手入れをしなければ数年でダメになるでしょう。金は酸化されないので、電子機器には貴重な部材となります。携帯電話にも金は使われています。ただし、値段が高いので、部品をすべて金でつくることはできません。

機械を直せるのは人間

さらに、壊れた機械を修繕するのは人間です。コンピュータが、自分自身で故障した部品を取り替えることはできません。

私は、科学の進歩や、コンピュータの進化、ならびにそれらが人類にもたらす恩恵を否定しているのではありません。コンピュータの高性能化によって、私たちの生活はより豊かになっていくでしょう。

しかし、人間には機械を超える無限の可能性があることもよく知っています。世の中は常に変化していますが、その変化に柔軟に対応できるのが人間なのです。機械にはできません。そして、ＡＩやロボットなどの機械を使いこなせるのは人間だけなのです。そのことを忘れてはいけません。

機械学習とディープラーニング

いま、いろいろな分野で「機械学習」や、その手法のひとつである「ディープラーニング」などの機能を利用したＡＩの応用が進んでいます。これらのソフトは、多くのＩＴ企業が提供しており、一般人でも使うことが容易になっています。ＡＩそのものの開発も重要ですが、その機能に触れる経験は、とても重要です。その便利な機能が分かれば、人は興味を持ち、さらにその先に進んでみようというインセンティブが生まれるからです。たとえば、ＡＩ機能を搭載したスマートスピーカーが普及していますが、その面白さに魅せられて、ＡＩに対する関心を持つ人も増えています。

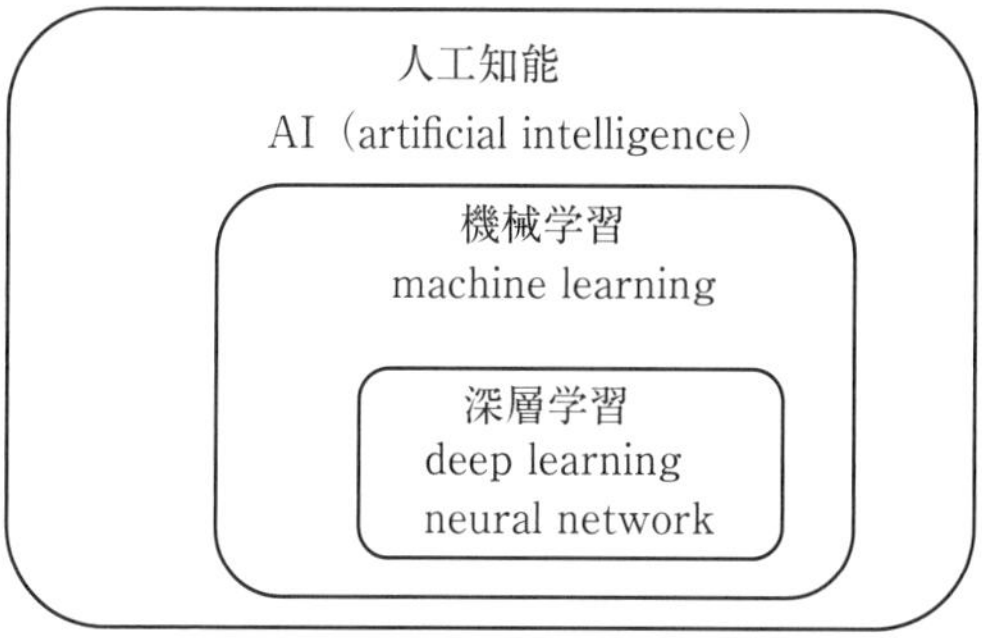

図21　人工知能（AI）の機能の構造化。AIの機能のひとつに機械学習があり、その機能のひとつとして深層学習、すなわちディープラーニングがあります。

　囲碁や将棋の向上にＡＩによるソフトを使う人が増えています。テレビなどで、プロ同士の対局中にＡＩが一〇〇点満点の評価値を与え、どちらが優勢かを判定している様子が見られるようになったことも影響しています。

それでは、「機械学習」とはなんでしょうか。例を示せば、コンピュータが画像を見て、犬と猫とを区別する方法を学ぶことです。これまでは、これらの違いをプログラムによって指定された特徴、たとえば大きさ、かたち、色などから識別することが一般的でした。* しかし、機械学習とは数多くのデータをもとに、ＡＩ自らが画像認識の仕方を学習していくという手法なのです。

冒頭でも紹介しましたが、二〇一六年に、グーグルが開発した「アルファ碁」が囲碁の世界チャンピオンを破って話題となりました。二〇一五年当時は、ＡＩが勝つには一〇年以上かかるといわれていましたが、たった一年で達成できたのです。この快挙を可能にしたのが、機械学習です。それまでは、ソフト開発者が作成したプログラムに従ってＡＩが碁石を動かしていました。この場合、ＡＩの棋風はプログラムに依存します。プログラマーの技量がＡＩの強さに影響を与えるのです。

しかし、ＡＩが囲碁のパターンを自ら学習するという機械学習の機能によって、人間がプログラムを組まなくとも、ＡＩが自ら囲碁のパターンを学習してくれるようになったのです。この結果、短期間での強化につながりました。

ＡＩでは「ディープラーニング」という用語もよく耳にします。日本語では、「深層学習」と訳されます。これは機械学習をさらに発展させたもので、「ニューラルネットワーク」と呼ばれる人間の神経をまねて、データ分析と学習をさらに深化させたものです。たとえば、犬か猫かを問わなくとも、つまり、着目する特徴を指定しなくとも、ＡＩが「あれは白い犬」「あれは黒い猫」「あれは人間の赤ちゃん」というように勝手に画像認識できる能力を学習していくことです。つまり、区別するための特徴をＡＩが自動的に学習していくのです。卑近な例では、みなさんがネットで買い物をするときに、過去のクリック情報や買物データから、ＡＩが好みにあいそうな商品を勝手にトップ画面に表示してくれる機能がありますが、これがディープラーニングの一例です。

新入生対応にAIを活用

ここで芝浦工大が行ったＡＩを活用した教員と職員と学生による協働プロジェクトを紹介したいと思います。ＡＩを使いこなす第一歩は、ＡＩを何に利用するかを明確化することです。

毎年四月になると、大学には多くの新入生が入学してきます。彼らは、履修登録、図書館利用、大学のシステムの使用方法、課外活動への参加など大学の制度に慣れるまでが大変です。このため学生課の窓口は大混雑します。一日あたり八〇〇名を越す学生が訪れるからです。一方で、学生からの質問は九〇％近くが同様の内容です。それならば、この窓口業務をＡＩで対応できない

*注—少し考えれば分かりますが、プログラムによって犬と猫を区別することは、とても難しいです。人間ならば5歳ぐらいで識別可能とも言われています。

かと考えたのです。そして開発したのが、芝浦工大（ＳＩＴ）のチャットボットである「ＳＩＴ-bot」です。ただし、スマートスピーカーのように音声対応ではなく、ＳＮＳを利用した質問と回答という方法を選びました。開発には、グーグルが提供するDialogflow（ＴＭ）というＡＩプラットフォームを活用しました。当初は、ピントのずれた回答も多かったのですが、学生が面白がってＡＩに学習させることで、精度が高まっていきました。* 学生にとっては、機械学習を実地で経験するよい機会だったようです。みんな興味をもって参加してくれました。

開発を始めたのは十二月でしたが、翌年の四月には堂々のデビューを飾り、一日八〇〇件を超える質問にも回答してくれています。二か月で一万件を越えたと聞きました。学生からの評判も高く、職員の「働き方改革」という観点からもヒット作品となりました。

残念ながら、大学のＡＩに関する講義などは、専門用語の並んだ基礎理論から入ります。しかし、それでは意味不明の講義が延々と続き学生の興味も続きません。まずＡＩを手軽に使ってみる、これが大事なのではないでしょうか。この経験を通して、ＡＩの利便性に触れた学生は、もっとＡＩを勉強したいと思うようになります。

ＡＩはパートナー

ＡＩを理解するうえで、それを実際に利用することが大事という話をしました。実は、面白い

ＡＩの応用事例がたくさん出てきているのです。グーグルだけでなくＩＢＭやマイクロソフトなども、無料のＡＩのプラットフォームを提供しています。これに目をつけたのが、若手の理系研究者たちです。[#] 彼らが、自分の研究にＡＩを活用しだしたのです。これは、ＡＩに親しむには、とても重要なステップと考えています。なぜなら、高価な装置が必要ないからです。学会でも面白い発表が増えています。

学術研究へのＡＩ応用の可能性は無限です。たとえば、新規の機能を有する材料の開発を考えてみましょう。材料開発には、まず元素の種類の組合せを考えなければなりません。元素の数は一〇〇以上ありますが、手に入りやすいという前提で50程度としましょう。これらの元素から3個を選んで化合物をつくるとすると、その種類は$_{50}C_3$あります。Cは「組合せ」の意味です。その数は

$$50 \times 49 \times 48/3 \times 2 \times 1=19600$$

です。元素の種類だけで、これだけの数の組合せがありますが、実際には化合物では組成（元素の割合）も変化するので、まさに、新材料候補の数は無尽蔵です。ここで、ＡＩを使えば有望な

＊注―これを、「教師あり機械学習（supervised machine learning）」と呼んでいます。入力と出力の答え合わせが可能な学習です。一方、「教師なし学習（unsupervised machine learning）」では入力に対して、答えの出力が決まっていない場合です。たとえば、与えられたデータからＡＩが特徴をみずから抽出してグループ分けするなどの操作に相当します。

＃注―もちろん、若手だけでなく、新規技術に興味のあるベテランの研究者たちもＡＩを応用した研究開発に参入しています。

候補を探してくれるのです。もちろん、データは必要ですが、いまでは学会などのデータベースが整備されているので、ソースはいくらでもあります。

もちろん、ＡＩの提案が正しいとは限りません。しかし、人海戦術で進めるよりは、はるかに確率は高いのです。実際に、ＡＩを利用して新しい材料も生まれつつあります。ただし、ここで重要なのは、材料を合成するのは、あくまでも人間ということです。このことも忘れてはなりません。

このような状況を見れば、ＡＩのすぐれた能力は、私たち人間の可能性を高めてくれる存在であり、人類の脅威とはならないことが分かります。ＳＦでは、ＡＩとロボットが一体となって人類を滅ぼすという物語もありますが、それはありえません。

コロナ封じ込めで有名になった台湾の政治家であり、プログラマーのオードリー・タン（唐鳳）が面白いことを言っています。人間とＡＩの関係は、「のび太」と「ドラえもん」のようなよきパートナーであり、互いに高めあう存在となるというのです。言い得て妙ではないでしょうか。

第6章　デジタル・トランスフォーメーション

ＶＵＣＡ時代を生き抜く処方箋として、「自分を磨くこと」を提唱しました。また、修得すべき能力としては、「読み、書き、そろばん」に加えて、基本的なＩＣＴ技術、つまり情報通信技術が必要ということも紹介しました。

ＩＣＴ技術と言っても、なにも複雑なプログラムを作成できる能力のことではありません。基本的素養として、インターネットにつなげる環境を準備でき、基本的なソフトであるワード、表計算、プレゼンテーションソフトを使えるということです。これだけでもかなりのことができます。

こうしたＩＴ技術に関して、社会のデジタル・トランスフォーメーション（ＤＸ）*が重要であると提唱されています。ＤＸは、スウェーデンのエリック・ストルターマンが二〇〇四年に提唱

*注―ところで、digital transformation の略がなぜDTではなく、DXなのでしょうか。まず、trans には「交差する」という意味があり、交差に対応した一文字としてXが使われています。さらに、DTでは、科学用語やコンピュータ用語など数多くの意味があるため、差別化の意味でDXとなったと言われています。

した概念であり「デジタル技術やIT技術の浸透によって、人々の生活が豊かになること」と定義されています。これならば、ごく当たり前の話であり、DXなどと大袈裟に言う必要がないように思えます。もちろん、その先があるのです。

そしてDXは企業ではもちろんのこと、教育界においても大きな注目を集めています。しかし、一方で、トランスフォーメーションと聞くと、大がかりなシステムを導入し、高度なソフトを使いこなせないと対応できないというイメージがあり、多くの企業や人は敷居が高いと感じているのではないでしょうか。私は、社会のDXにとって重要な一歩は、人が変わることと思っています。個々人の変革、つまり人のDXが重要となります。

内なるDX

第2章のクリティカルシンキングでも紹介しましたが、なにか事を始めるときに重要なことは、確かな根拠に基づく「事実」に立脚することです。そしてその基本は数値データを出発点とすることです。DXも同様と考えています。

数値データを扱う

だれかが「今日は寒いですね」と言ったとしましょう。「それならば暖房を入れましょうか」

とだれかが応えるかもしれません。しかし、「寒い」「暑い」は人によって感じ方が違います。「今日の気温は18℃です」と数値データを示せば、万人に共通の指標となります。これならば明確です。このように個人のDXとは、なにかを決断する際に、アナログデータではなく、デジタルデータに基礎を置くという意識改革のことなのです。その実行のためにはお金はいりません。本人のちょっとした心がけで十分なのです。

つぎのステップは、自分で数値データを処理してみることです。手計算でも十分ですし、電卓やEXCELなどの表計算ソフトを使ってみるのも一案です。難しい計算は必要ありません。四則計算程度で十分です。

実例で考えてみましょう。ある二つのクラスの生徒が10点満点のテストを受け、その評価をすることになりました。それぞれのクラスから三人の生徒の点数を抜き出してみると、Aクラスは(5, 7, 6)、Bクラスは(9, 9, 0)でした。ここで、それぞれのクラスの「平均点」を計算してみましょう。すると

(5+7+6)/3＝6　　　(9+9+0)/3＝6

となり、平均点は6と両クラスで同じになります。それならばクラスA、Bともに同レベルと判断してよいのでしょうか。

統計処理のやり方

もちろん、この判定には無理があります*。なぜなら、点数分布が明らかに異なっているからです。それならば、平均点からの「偏差」を見てみましょう。するとAクラスでは（−1, +1, 0）となり、Bクラスでは（+3, +3, −6）となって、ばらつきがBクラスのほうが大きいことが分かります。よって、Bクラスの生徒の実力の偏りが大きいとなります。しかし、このやり方ではデータ数が多いと大変なので、ひとつの数値データとしてばらつきを示せれば便利です。このために、まず、偏差の和をとってみます。すると

$$-1+1+0=0 \qquad +3+3-6=0$$

のように、どちらも0となって使いものになりません。平均点からの偏差の和を計算すれば、必ず0となります。よって、この数値は使えません。そこで、偏差の絶対値をとり、それを生徒の数で割ればよいのではないでしょうか。すると

$$(1+1+0)/3=2/3 \qquad (3+3+6)/3=4$$

となり、Bクラスのほうの成績の偏りが大きいことが一目瞭然です。これを「平均偏差」と呼んでいます。

この数値を使うのもよいのですが、実際の統計処理では、偏差の2乗の和を計算し、それを生徒数で割ったうえで、平方根をとるという操作をします。専門的には「標準偏差」と呼ばれており、それぞれ

$$\sqrt{\frac{(5-6)^2+(7-6)^2+(6-6)^2}{3}}=\sqrt{\frac{2}{3}}\fallingdotseq 0.82 \qquad \sqrt{\frac{(9-6)^2+(9-6)^2+(0-6)^2}{3}}=\sqrt{\frac{54}{3}}=\sqrt{18}\fallingdotseq 4.24$$

となり、Ｂクラスの生徒の成績のばらつきが大きいことが分かります。計算は少々面倒ですが、こちらのほうが一般的です。

さて、このようなデータ解析を自分で行ってみると視野が広がります。これが、第二の「内なるＤＸ」です。簡単な計算であっても、自分で実際に行ってみる。これが大事なのです。こうすれば、数字の目利きもできるようになります。

データの信頼性

ところで、三人ではなく、最初の二人のデータを抜き出した場合、Ａクラスでは（5, 7）、Ｂクラスでは（9, 9）となり、平均点は6と9となって、先ほどとは、まったく異なる様相を示します。よって、本来は全生徒のデータを解析することが必要です。ただし、対象の数が多いとそれができません。そのため、ある集団からデータを抽出して、それを解析するのが一般的なのです。

この操作を「サンプリング」と呼んでいます。もちろん、サンプル数を増やせば、本来のデー

＊注―もし点数分布がなく、平均点の情報しかなければ、同レベルと判定するしかないでしょう。

タに近くなります。ただし、たとえば、対象が日本国民となると、データ数が一億二〇〇〇万と大きくなります。信頼性を高めるために、サンプル数をいたずらに増やしたのでは、データ処理に時間がかかります。このため、どの程度のデータ数を集めれば信頼できるかということも標準化されているのです。

実は、マスコミ報道などで発表される数値には、データ数が不十分で、信頼性が高くないものも含まれています。たとえば政党の支持率や、テレビ番組の視聴率など、どのような調査方法を用いたかによって値も信頼性も異なります。

第3章で紹介した教育の国際比較でも課題があります。日本では、全国規模で一斉試験ができます。このため日本全体を反映したデータとなります。しかし他国では、そもそも裕福な家庭の子供しか学校に通えないところもあります。また、受験者を優秀成績者に限定しているところもあります。日本でも、調査テストの際に成績不良者を欠席させるという手法で、平均点を上げていた学校もありました。先ほどのBクラスでも0点をとる生徒を欠席させれば、平均点は大きく上昇します。

このように数字の裏に潜むトリックに気づくこともDXにおいては大切です。根拠のある信頼できるデータに基づく議論が重要だからです。そして、実際に自分で数値データの処理を経験していれば、課題も含めて、いろいろな側面が見えてきます。

そして、この操作を自分の身近なデータで実際に行ってみること、これも大切です。繰り返しになりますが、ＤＸの第一歩は、内なるＤＸです。

「ＤＸレポート」

それでは、巷間で話題となっているＤＸとは何なのかを簡単に見てみます。日本でＤＸが注目されるようになったのは、二〇一八年、経済産業省の「ＤＸレポート」の発表がきっかけと思います。日本の企業のデジタル技術の導入が進んでいないために、世界に遅れをとっているという指摘です。このとき引き合いに出されるのが、第４章でも紹介した「ＧＡＦＡ」と呼ばれる巨大ＩＴ企業です。これらの企業はすべてデジタル技術の有効活用に成功したインターネット関連会社です。

ＧＡＦＡは、「デジタル・ディスラプター」とも呼ばれています。デジタル技術による破壊者という意味です。つまり、既存の産業構造をデジタル技術によって転換するという意味です。アマゾンは、既存のデパートや小売業を駆逐しています。* グーグルやアップルは携帯電話ＯＳの寡占化を進めました。いまや、世界の主流はＡｎｄｒｏｉｄとｉＯＳ（ｉＰｈｏｎｅ対応）です。フェ

＊注―小売店で現物を確認したあと、アマゾンで購入というパターンが増えています。米国の大手百貨店やスーパーが廃業に追い込まれています。

イスブックはメールや電話という連絡手段を奪いつつあります。まさに、デジタル技術が産業構造を変革しているのです。この他にもネットフリックスの台頭や、YouTubeなどの動画サイトがTV番組よりも人気を集めているのも構造変化の一端です。

経産省は、日本の企業が、デジタル分野で世界の主導権を握れないことを心配しています。GAFAのような企業が日本にも登場してほしいという願いでしょうか。経産省は、二〇二〇年に「DXレポート2」を発表しています。これはコロナ禍の中で、DXに遅れをとった企業がオンライン会議や電子決済などに対応できていないことに危機感を持ったからなのです。

デジタイゼーション

データのデジタル化

それでは、DXとは何なのでしょうか。まず、基本は「デジタイゼーション（digitization）」です。この用語はdigitize（デジタル化）という動詞がもとになっています。つまり、アナログデータのデジタル化を意味します。これがDXの第一歩です。しかし、多くの企業や教育機関では、データのデジタル化はかなり進んでいると思いますが、どうでしょうか。

たとえば、かつての学校では、生徒の成績は手書きが主流でした。それをエクセルなどのデジタルデータに変換することがデジタイゼーションです。これならば、成績分布や評価などのデータ解析もスムーズにできます。

手書きの資料を、Ｊ‐ＰＥＧなどの画像ファイルとして保存することも一種のデジタル化です。さらに、「ＯＣＲ（optical character recognition）」つまり光学文字認識を利用して、手書き資料をデジタル資料に変換する技術も開発されています。カメラで撮影した文字をコンピュータが認識して、デジタル化する技術です。

当初は読み取り精度が七〇―八〇％程度であり、読み取り後に人間が文書を修正する作業が必要でした。人の書く文字にくせがあったり、紙の質によって読み取り誤差が生じていたからです。ところが、最近ではＡＩの導入によって、精度がかなり高くなっており、とても便利になっています。

デジタルデータの活用の遅れ

デジタル化が進んでも、組織がそれをうまく活用できないのではＤＸは進みません。コロナ禍で話題になったのが、稟議書の押印でした。日本では書類に判を押す作業のため、テレワーク*ができずに、わざわざ出社しなければいけないと不満をこぼす社員がいました。

＊注―日本ではテレワーク（telework）という用語がよく使われますが、これは離れた場所で仕事をするという意味です。家で仕事をするという場合には work from home がよく使われ、ＷＦＨと略されます。

さらに、文書がデジタル化されていても、それを印刷して押印するという組織文化もいまだにあります。デジタル化の効能を享受できていないのです。

経産省はＤＸを推進しようとしていますが、実は、国の多くの省庁や機関でもアナログ体質がしみ込んでいます。これは、政治家のアナログ体質が一因です。いまだに官僚を呼びつけ、印刷させた文書を口頭で説明させる議員が多いと聞きます。もちろん、ＩＴ技術をうまく利用する議員も増えています。ただ、少数でもアナログ政治家がいれば、役所はそれに従わざるをえません。

つまり、政治家の「内なるＤＸ」が日本では重要です。

大学のＤＸ

東北大学は、二〇二〇年に学内手続きに必要な押印を廃止し、完全オンライン化に踏み出すことを決めました。これだけで年八万時間の作業削減につながると言われています。アナログ体質の国立大学では画期的なことと思います。もちろん、大学教員の多くはＤＸを享受していますが、組織としての大学は、まだまだアナログ体質が抜けていないのです。

ただし、データがデジタル化されていれば、それはそれで財産になります。いま使わなくとも、将来、それをうまく使いこなす人材も出てきます。デジタイゼーション（アナログデータのデジタル化）はＤＸの第一歩なのです。

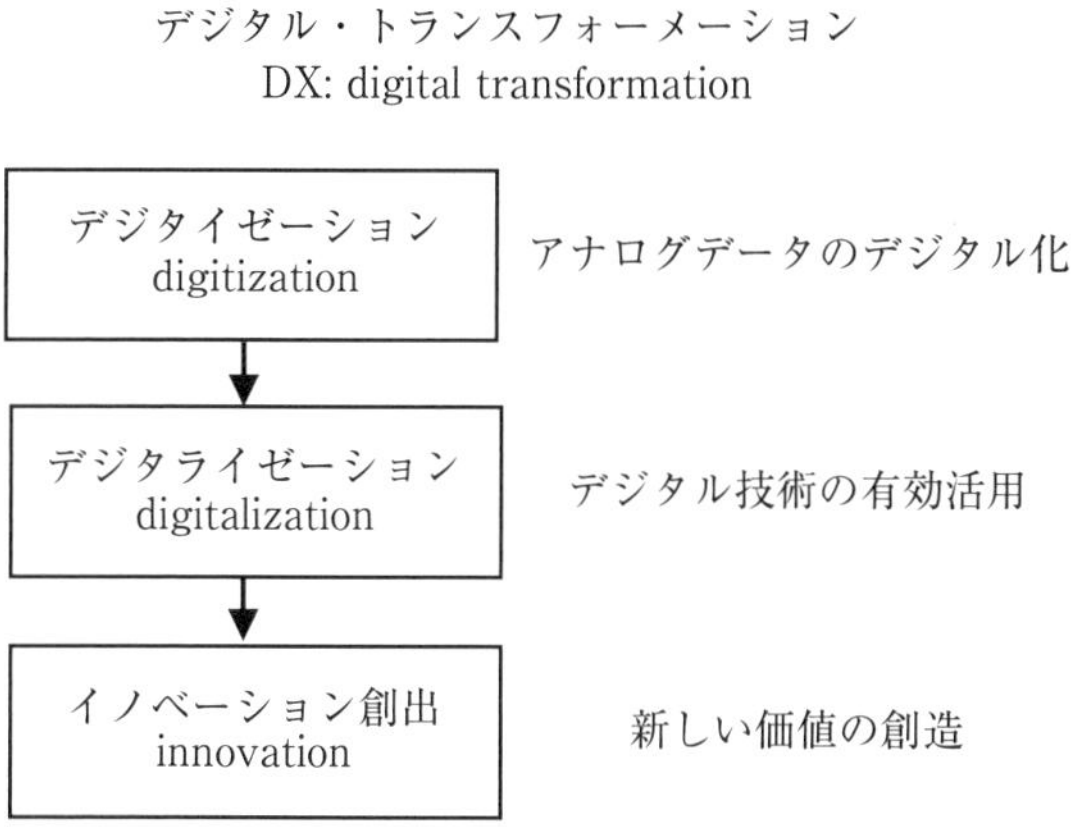

図22　デジタル・トランスフォーメーション（DX）の構造

デジタライゼーション

デジタイゼーションに続く、ＤＸの次のステップは、「デジタライゼーション（digitalization）」です。デジタイゼーションとよく似ているので混同しがちですが、こちらはdigitalizeという動詞がもとになっています。この単語も訳せば、「デジタル化」となりますが、digitizeは数値としてのデジタルに対応しているのに対し、digitalizeはもっと広い意味でのデジタル化に対応しています。つまり、組織の在り方や、組織運営にデジタル技術を活用することを意味します。

データのデジタル化が進んでいても、それをうまく使いこなせなければデジタライゼーションとは言えないのです。たとえば、会議の資料を考えてみましょう。せっかくペーパーレス化を進めても、画面では見づらいから印刷してメンバーに渡すように指示する上司がいます。これでは、デジタライゼーションにはなりません。

ネットフリックス

デジタライゼーションの成功例として取りあげられるのが、先ほど紹介したネットフリックスです。この企業の成功は、ビデオレンタル店のＤＶＤをデジタル化によってオンライン配信に変えたことでした。* まさにデジタル・トランスフォーメーションによるビジネス改革です。最近では、映画館に取って代わる存在となっています。また、「ストリーミング配信（streaming delivery）」という方式も開発しています。かつては、オンラインで動画をダウンロードし視聴するという方式がメインでした。しかし、これではダウンロードに時間がかかりますし、違法なコピーも防げません。そこで、動画をすべてダウンロードするのではなく、パケットごとに送信することで視聴者は動画をすぐに視聴できます。しかも、パケットはいったんコンピュータにダウンロードされますが、つぎのパケット送信でメモリーから消去されます。このため、違法なコピーも防げるという仕組みです。

しかし、少し考えれば、動画コンテンツさえあれば、簡単に他社が参入できる業態でもあります。実際に、ディズニープラス、アップルＴＶ、ＨＢＯマックスなどのライバル企業がどんどん参入しています。そこで、客を抱え込むために考えられたのがサブスクリプション

(subscription) です。会員が毎月一定の会費を支払えば、店舗内の動画を自由に閲覧できるサービスです。これならば、安定した収入も見込めます。しかし、会員をつなぎとめるためには、提供できる動画の質と量を充実させる必要があります。コロナ禍の特需で業績を伸ばしていますが、今後は、いかに他者と差別化するかが鍵となるでしょう。そして、いかに魅力あるラインナップを揃えられるかにかかってもいます。

アマゾン

デジタライゼーションに成功した企業として、アマゾンもよく取り上げられます。書籍の通信販売から始まった事業です。書店に行って本を探すのは楽しいですが、どうしても品揃えに難があります。アマゾンでは、街の書店では購入できないような専門書も揃えています。研究者にとっても、その品揃えは満足のいくものでした。しかも、絶版になったような古本も購入可というのが研究者にとっては大きな魅力でした。

さらに、先払い制度のネット販売では詐欺も横行しますが、顧客に商品が届かなければ、業者に入金されないというシステムもつくりました。

＊注—もちろん、大容量のデータを高速で通信できるネット環境が整備されたことが背景にあります。この技術革新がなければ、成立しないビジネスなのです。

そして、いまや書籍だけではなくありとあらゆる商品を取り扱っています。中には、即日品物が届くものもあります。驚異的なサービスです。アマゾンは独自の倉庫を整備し、徹底的なＩＴ化を進め、注文から配送までを自動化し効率を最大化しているのです。その結果、外部の企業にとっても自前で物流を管理するよりもアマゾンを利用したほうが低コストで運用できるようになっています。もちろん、楽天やヤフーなど、ライバルたちも参入していますが、アマゾンがトップを走っています。

ただし、現在は、最後の宅配サービスを結局、人に頼らざるをえない状況です。宅配予約システムや置き配サービスなどで、持ち帰りという無駄を最小化しようとしていますが、ここがボトルネックということには変わりありません。そこで、アマゾンは、配送も自動化しようと研究しているのです。ドローンを使った配送が試行されているのも、このためです。

ＩＴ競争社会

ところで、ネットフリックスにしろ、アマゾンにしろ、多くのＩＴ企業のビジネスモデルは他者が簡単にまねることができます。したがって、ライバル企業の参入も容易です。このため、彼らが業界で生き残るためには、常に技術革新を進め、差別化を図る必要があるのです。グーグルが一見関係のない分野の研究者*まで採用し、研究開発を積極的に進める背景には、ライバルの追随があります。こう見ると、ＧＡＦＡも決して安泰ではないのです。実際に、ＩＴ企業の寿命は

一五年とされています。[#]

レガシーシステムの刷新

経産省が発表した「ＤＸレポート」では、「レガシーシステム」の刷新が重要であることも指摘されていました。レガシーとは和訳すれば「過去の遺産」のことです。

ここで言うレガシーシステムは負の遺産を意味します。多くの企業はデジタル機器やＩＴ機器を導入していますが、これらのシステムの老朽化が進んでいるのです。また、導入以降、継ぎ足しでシステムを改修してきたため、複雑化もしています。また、システム改修に携った人間が退職し、システムがブラックボックス化しているという問題もあります。さらに、システム維持のためのコストが無視できず、ＩＴ予算のほとんどがそれに使われ、新規開発に回らないという現状もあります。

さらに、日本のレガシーシステムはカスタマイズ開発が多く、機関によって異なるため、運用

＊注―たとえば、理論物理の研究者も積極的に採用していると聞きます。
＃注―ブランダン・ヒルがFreshtraxというサイトの記事で、アメリカトップ五〇〇社の平均寿命がデジタル化の影響で一五年と短くなっていることを指摘しています。

ノウハウや保守が共有できないという問題もあり、コスト増の原因となっています。

芝浦工大のレガシー

芝浦工大でもレガシーシステムの問題がありました。驚いたことに、コピー機とシステムにつなぐ部品までもがカスタマイズされていたのです。このため、部品のストックがなくなると、故障の際に対応できないという問題が起きたのです。そこで、トップとして、新しいシステムの導入を決断しました。コストはある程度かかっても仕方がないと覚悟を決めたのです。また、システム導入にあたっては、専門家の意見よりも、ユーザー視線の開発を旨とし、さらに「できるだけカスタマイズはしない」という基本方針のもと新システムの導入を行いました。現場から財務システムの刷新と、すべての伝票のデジタル化が求められており、二〇一九年末までに完了しました。そのおかげで、コロナ禍にあっても、業務のオンライン化やテレワークによる対応が可能となったのです。

レガシーシステムをなんとか使いこなすという手もないわけでありませんが、システムは老朽化して、いずれ使えなくなります。よって、どこかで決断を下すことが必要となります。

二〇二五年の崖

「DXレポート」には「二〇二五年の崖」という言葉が登場します。これは、レガシーシステムの老朽化により、メインテナンス費用が上昇するとともに、セキュリティの問題も生じ、最後には、システムの維持そのものができなくなるのが二〇二五年という意味です。また、世界のIT企業がデジタル革新により世界市場を席巻しているのに対し、日本の企業が対応できずに、日本国として大きな損失が生じるというものです。その額は、年一二兆円に達するとされており、この危機を脱するためには、DXの推進が不可欠であると主張しているのです。

日本がデジタル競争の敗者となる政府の危惧は、よく理解できます。脅しともとれないことはないですが、世界競争の中での生き残りを考えれば、当然のことかも知れません。

しかし、「隗より始めよ」という言葉があるように、もし政府が企業に対してDX推進を求めるならば、自らがその見本となるようなDX導入を進める必要があります。日本でもっともデジタル化が遅れているのは、政府機関ではないでしょうか。それを改革するためには、政治家のDXも重要です。

日本のデジタル化が遅れているのは、日本人のITリテラシーの低さに原因があるという指摘もあります。* しかし、第3章でも紹介したようにOECDのPIAAC調査では、十六歳から

＊注－たとえば、「HR大学」というサイトの二〇二〇年十月十三日の記事で、日本人のネット常識力は世界平均より低いことが指摘されています。

六十五歳を対象にした「ＩＴを活用した問題解決能力」では、日本人は堂々の世界一なのです。決して日本人がＩＴ技術に劣っているわけではありません。とすれば、やはり政治家のリテラシーの欠如や、企業であれば決定権のある人間に問題があると言わざるをえないのです。

経産省は、企業にＤＸ推進を求めるだけではなく、影響力のあるこれらの人たちのＤＸを推奨すべきなのではないでしょうか。立派なＩＴシステムを導入しても、活用しなければ意味がありません。企業によっては、せっかくテレワークができる環境を整備していても、部下を監視できないという理由から、社員に出社を強要する上司もいると聞きます。

コロナが進めたＤＸ

デジタイゼーションすなわちアナログデータのデジタル化が進んだとしても、それを有効活用しなければ、デジタライゼーションにはつながりません。ここが重要なところです。

これが、日本社会の課題です。ただし、これを変えるのは、それほど簡単ではありませんでした。ところが、皮肉なことに、コロナ禍によってデジタライゼーションが一気に進んだのです。まず、多くの企業はテレワークを余儀なくされ、会議のオンライン化と文書のデジタル化を進めざるをえませんでした。

実は、大学においてもコロナ禍によってデジタル化が進んだという背景があります。いま、世界の大学では「教育の質保証」を目指した改革が進められています。その根幹は「学生に何を教えたか」ではなく、「学生が何を学んだか」を大切にするというパラダイムシフトです。そのためには、学生の学修成果をいかに測定するかも重要となります。

芝浦工大におけるＤＸ

芝浦工大では、学生の学びの記録をデジタル化して、個人ごとに閲覧できるポートフォリオを整備していました。また、同時に「学習マネジメントシステム（learning management system: ＬＭＳ）」の導入を行い、二〇一九年には、ｅラーニング*への対応を可能としていました。まさに教育のデジタイゼーションを実施していたのです。

学修ポートフォリオに関しては、学生の使い勝手を考え、学生が入力しなくとも、自動的に成績などのデータが入力できるようにしました。また、大学の成績だけでなく、ＴＯＥＩＣなどの外部試験の結果や、いろいろな活動記録がワンストップで閲覧できるため、学生のポートフォリオの利用率は一〇〇％となっていました。

課題は、教員のＬＭＳ利用率の低さでした。整備後も二〇％程度しかなかったのです。宝の持

*注—ＩＣＴ技術を活用し、インターネットを利用して教師と学生間のインタラクティブな交流を可能とする学修方式です。

ち腐れです。デジタイゼーションができていても、デジタライゼーションまで進まない典型例です。

ITに強くLMSの利便性を理解している教員は、課題や教材のアップ、また試験や成績管理すべてをLMS上で実施していました。当然、学生はこれらの科目を履修していますので、利用率は一〇〇%となります。一方、残りの教員は、LMSの使い方が分からない教員と、利用に意義を見いだせない教員に分かれます。LMSに関する勉強会や説明会を開いても、これらの教員は参加しません。

こうした環境が一気に変わったのが、コロナ禍でした。すべての授業をオンライン化するとともに、eラーニングのコントロールタワーであるLMSの利用を促したのです。もともと理工系の大学ですから、教員にはITの素養があります。半強制とはいえ、一度使えば、その利便性は明らかです。ほぼ全教員がLMSの利用をするようになったのです。

この結果、大学教育のデジタライゼーションが一気に進みました。* このような状況がなければ、教員のLMS利用率を一〇〇%まで高めるには、かなりの時間を要したと思われます。

大学格差

もちろん、すべての大学がeラーニングに対応できたわけではありません。もともとLMSが整備できていない大学や、オンライン授業の環境整備ができていない大学も数多くありました。

教育界のDXはかなり遅れていたのです。このため、プリント教材を配るだけの授業などが横行し、マスコミの非難を受けることになりました。しかし、コロナによって多くの大学がオンライン授業環境を整備し、eラーニングができるようになりました。まさに教育のデジタライゼーションです。私は、オンライン授業は対面との併用で大きな教育効果を発揮すると考えています。昔の対面に戻すという案もありますが、これでは意味がありません。

民間企業のコロナ対応

民間企業では、コロナ禍の中で、環境の変化に迅速に適応できた企業と、そうでない企業の差が開いていると聞きます。それが業績にも大きな差異を生じる原因となっているというのです。そもそも、デジタイゼーションさえできていない企業があります。また、それができていても有効利用できていない企業もあり、こうした企業が苦戦しています。ただし、デジタライゼーションのインフラが整っていても、管理職の理解の無さから、それを活かせていない企業も多いと聞きます。システムのDXと、人のDXの両輪が重要と思います。

＊注ー利用率が急激に増えたので、システムへの負荷は高くなります。実際に、多くの大学で初日にシステムダウンが起きました。本学はLMS利用率が一〇〇％にもかかわらず、情報システム部の職員の努力により、維持できています。表には出ませんが、このような裏方の見えない功績がありました。

二〇二〇年に経産省が「DXレポート2」を発表したのは、このような背景があると聞いています。また、レガシーシステムの刷新をDXと勘違いしている企業も多いため、アナログ文化の刷新とDXを通したイノベーションの創出こそが真のねらいであることを改めて明らかにしたものと考えられます。

GIGAスクール構想

コロナ禍において大学のオンライン教育は進みましたが、小中高では、それほど進みませんでした。これに対して、マスコミは、小中高では対面授業ができているのに、なぜ大学はできないのかという非難を展開しています。実は、これらの学校では、オンライン授業をしたくとも、それができる環境が整っていなかったという事情もあるのです。

そこで、小中高において高速通信ネットワーク環境を整備するとともに、生徒ひとりにPC端末を一台使えるようにしようという構想があります。これを「GIGAスクール構想」と呼んでいます。GIGAはGlobal and Innovation Gateway for All の略です。政府は、そのための予算を二〇二〇年度末の補正予算案に組み入れました。

このような教育現場におけるICT環境の整備は、大変よい政策と思います。しかし、問題は子供たちが興味をもって、IT教育にのぞめるかということです。そのためには、IT技術の利便性と意義を子供たちに分かりやすいかたちで経験させることが大切です。興味を持てば、みずから勉強するようになります。そのためには、教える側の先生も、ＩＴ教育を楽しめる人でなくてはなりません。嫌々教えていたのでは、技術はなかなか浸透しません。

セキュリティ

ＤＸ推進にあたって、もっとも重要なのはセキュリティ強化です。情報漏洩も問題ですが、世の中にはシステムを破壊することに喜びを感じる愉快犯がたくさんいます。レガシーシステムの問題は、継ぎ足しでシステムが複雑化しているうえ、汎用性がないために、セキュリティに問題があることです。レガシーシステムの刷新の必要性は、老朽化とともに、安全性の問題が大きいのです。

大学システムへのサイバー攻撃

サイバー攻撃を可視化するツールを使って、芝浦工大への攻撃を見ると、一日で優に一万件を超えています。驚くべき件数です。毎日、こうした攻撃を遮断するだけで大変な苦労をしています。

最近、問題になっているのが国立大学のＩＴシステムの脆弱性です。メールシステムへの不正侵入により個人情報や研究データの流出が続いています。一方で、セキュリティ強化は、ユーザーの利便性をそぎます。このためセキュリティ対策は難しいのです。なぜなら、それが過剰になるとだれも使わないからです。もともと国立大学はアナログ体質であり、システム整備も継ぎ足しですので、セキュリティの穴がいくつもあるのです。それが、海外のサイバー攻撃者にとって格好の標的となっている理由です。

芝浦工大では、情報システム部がセキュリティには常に神経を尖（とが）らしています。一方で、それがテレワークの妨げにもなっていました。自宅からの学校システムへのアクセスを制限していたからです。

また、学修ポートフォリオに保護者もアクセスできるようにしようという案が出たときにも、当初の案では一〇個のセキュリティチェックを設けるというものでした。しかし、これでは、だれも使いません。なんとか二重のチェックで済むように妥協してもらいました。

セキュリティ研究推進

ただし、いったんセキュリティが突破されると、情報システムすべてがダウンするという惨事を招きます。よって、DX推進とともに、セキュリティ強化を同時に進めることが重要です。

そして、情報関連の研究者を多数抱える大学のシステムが、脆弱ゆえに世界から攻撃されているという事態は恥ずかしいことではないでしょうか。日本には、優秀な研究者がたくさんいます。

それならば、大学の英知を結集して利便性を落とさずにセキュリティを高める技術開発を日本全体で推進すべきと思います。

第7章　ものづくりの心

「ソサエティ5・0（Society 5.0）」という言葉を聞かれたことがあるでしょうか。サイバー空間と現実空間を高度に融合させたシステムにより、経済発展と社会的課題の解決を両立する新たな未来社会のことです。日本政府が提唱する未来のコンセプトです。

これまで人類が歩んできた「狩猟社会（Society 1.0）」、「農耕社会（Society 2.0）」、「工業社会（Society 3.0）」、「情報社会（Society 4.0）」といった社会につぐ第五の新たな社会を、ＩＣＴやＩｏＴ（internet of things）、ＡＩなどのデジタル革新を最大限活用して実現するという意味で「ソサエティ5・0」と名付けられました。

大学において、データサイエンスを理工系の学生だけでなく、文系学生にも必修化するという動きもあります。もちろん、デジタル革新は重要です。ＤＸのように、デジタル技術を利用することで、世の中の「働き方改革」や、生活がより豊かになる可能性も大いにあります。

デジタルを支えるものづくり

ここで忘れてはならないのは、これらのデジタル技術を支えているのは、「ものづくり技術」であるということです。

スマートフォンはとても便利です。どこにでも持ち運びができ、インターネットに接続して必要な情報も得られます。一方、スマートフォンは機械であり多くの部品からできています。これらの部品が一点でも故障すれば機能しなくなるのです。そして、デジタル機器の高性能化やコンパクト化とともに、部品の高度化と軽量化も進んでいます。よい部品がなければ、よいモノはつくれません。それを支えるのが「ものづくり技術」なのです。

また、最近では長時間稼動するバッテリーが開発され、とても便利になっています。一方で、バッテリーの発火事故も頻発しており、飛行機内で火事が発生するなど重大事故にもつながっています。その安全を確保するためには、軽量かつ堅固なバッテリー容器の「ものづくり」も必要となります。

仮想と現実

デジタル技術の進展とともに、サイバー空間では、いままで不可能であったことが可能となりつつあります。3Dゲーム*の世界などまさにそれでしょう。実体験しているかのような興奮を体験できます。ゲームだけでなく、電車の運転や、飛行機の操縦訓練も可能となっています。さらに、現実世界では不可能な危険作業を繰り返し経験したり、極微の世界や宇宙空間への旅なども体験することもできるようになっています。

しかし、あくまでサイバー空間は仮想空間であり、私たち人間が生きているのは現実空間であるという認識も重要です。そしてサイバー空間を安心して使うためは、長時間安定に作動するデジタル機器が必要であり、それを支える高性能の部品が必要です。これらの部品は、高度な「ものづくり技術」によって、はじめて製造可能となるのです。ソサエティ5・0を支えるのは「ものづくり技術」であることを忘れてはいけません。

継承されるものづくり

幸いにして日本には、いまだに「ものづくりを大切にする」という心が残っています。この精神は、若い人たちにも確実に受け継がれています。これは、日本が世界に誇るべき伝統だと思います。

エコな江戸時代

もともと、日本にはものを大切にするという精神があり、ものづくりに対する畏敬の念がありました。神道では、長い間、使った道具やもの（人工物）に神や精霊が宿るという「つくも神」という考えがあります。そして、長く使い続けることができる「もの」と、それをつくった「ものづくり」技術者に対する尊敬の念がありました。

ものを大切にするという日本の文化は、江戸時代の世界に類をみないリサイクル技術となって結実しています。江戸の街にはゴミがほとんどなかったと言われています。それは、類いまれな知恵と工夫によって、すべてのものが無駄に捨てられることなく、有効利用されていたからなのです。

また、ものづくりにおいても、常に古くなった部品をリサイクルして再利用するという観点からの初期設計がなされていたのです。

資源のない日本が世界で優位性を維持するためには、資源に頼らない、知恵と工夫による「ものづくり」技術の開発と、それを担う人材育成が重要です。頼もしいことに、多くの日本人がこ

＊注－3DのDはdimensionつまり次元の英語であり、3Dは3次元のことです。かつてのゲームは2Dつまり2次元が基本でしたが、いまや3次元が主流となっています。

のことを認識しています。そしてその精神は、いまにも受け継がれ、マネーゲームという空虚な夢を追いかけず、多くの若者に、「もの」を大切にするという考えが浸透しているのです。この文化は日本の強みではないでしょうか。

バブルの蹉跌

日本では、バブル崩壊後の経済の低迷を、失われた二〇年と称し、あたかも、日本が世界に大きく遅れをとったように報じられています。

日本のGDP

日本の国内総生産（GDP）が、アメリカについで世界2位となり、いずれアメリカを抜いてトップになるだろうと多くの人が予想した時代がありました。当時は、日本は"rising sun"と呼ばれていました。その頃を知る人たちからは、日本が中国に抜かれて第3位に転落したことを悲観的に捉える向きも多いようです。しかし、別の視点でみれば、いまだに世界第3位であり、ドイツ、フランス、イギリスよりも上ということを認識すべきです。

さらに、中国の人口は一四億人を超えています。日本は一億二〇〇〇万人です。ひとりあたりのGDPは、日本のほうが中国よりもはるかに上なのです。その理由は、日本がものづくりの心を捨てなかったからと思っています。

マネーゲーム

バブル時代には、経済評論家たちが「ものづくりは後進国に任せて、日本のような先進国は、金融で金を稼ぐべきだ」という主張を繰り返していました。「ものづくり」は、真似すれば、どこでもできるので高賃金の日本では、いずれ立ち行かなくなるという主張であったと思います。

このような甘言に惑わされて、多くの企業がマネーゲームに走りました。製造業にあっても、金融担当の役員が出世し、地道にものづくりをしている現場の何倍もの収益を挙げていると重用されたりもしました。工学部出身者が、製造業ではなく金融機関に職を求めたのもこの頃です。そして文系出身者の生涯賃金が理系より五〇〇〇万円も高いということが、まことしやかに喧伝され、額に汗して働くことを軽蔑する動きがあったことも確かです。

しかし、このような軽佻浮薄な考えを苦々しく思っている人たちも多くいたのも事実です。少し考えれば、マネーゲームが砂上の楼閣であることは自明です。それが愚かな考えであったことは、時代が証明しています。

実は、日本が完全に没落せずにすんだのは、地道に、ものづくりの伝統を守り、日本の危機を救った「無名の技術者たち」がいたからなのです。この事実を、私たちは忘れてはいけません。

立って半畳、寝て一畳

企業が金儲けをすることは悪いことではありません。利益を出して従業員に還元し、それによって多くの人の生活が豊かになるのは歓迎すべきことです。しかし本業を忘れて、マネーゲームに走ったのでは、本末顚倒であり、企業の存在意義が問われることになります。

さらに、物欲には限りがないということも知るべきです。物や金に頼る限り、心の安寧は得られません。多くの新興企業は真の「ものづくり精神（craftsman spirit）」に欠けており、往々にして拡大路線に走りがちです。急成長するのはよいのですが、結局、自分自身をコントロールできずに崩壊してしまうことが多いのです。

草創期には、ささやかな成長を楽しんでいたものが、会社が大きくなるにしたがって、一〇億円のつぎは一〇〇億円、その先は一〇〇〇億円と増えていきます。少し考えれば、まともな商売をしていてそんなに簡単に売り上げが伸びることなどありません。かなり無理をしない限り急成長は望めないのです。そこで、失うものも多いはずです。

どんなに金を稼いでも、ひとりの人間が占有できる面積は大きくはありません。立ったら畳半分ほど、寝ても畳一枚ほどです。どんな豪邸に住んでいても、ひとりの人間が占める面積は限られているのです。いたずらにスペースがあると、ゆったりした気分よりも、空虚さを感じることもあります。

「立って半畳、寝て一畳、天下とっても三合半」という言葉があります。栄華を極め、天下人となったとしても、一回に食べられるご飯の量は、せいぜい三合半しかないという意味です。暴食が過ぎれば、やがて健康を害してしまうでしょう。

人は、財を求めるのではなく、心の豊かさを求めるべきなのです。どんなにつましい生活をしていても、心が穏やかであれば、幸せに暮らしていけます。バブル期にあっても、ものづくりの心を忘れずにいた人たちは、心の中に、マネーゲームに踊らされない、しっかりとした芯があったのだと思います。

日本の工業力

ものづくりの喜びは、自分で体を動かして、社会のために役立つものをつくる（創る、作る、造る）ことにあります。たとえ、それが小さな部品であっても、自動車などの工業製品に利用されれば、立派な社会貢献です。過酷な温度変化や応力に耐える製品を開発できれば、安心安全にもつながります。つくる際の工夫によって効率が上がれば、省エネルギーにもつながります。

ものづくりの大切さは、ここにあります。たとえ儲けが少なくとも、社会のため人のために自分の仕事が役立っているということが分かれば、心が充実し、豊かにもなります。

高度経済成長

日本の高度経済成長は、ものづくりの心を持った中小企業によって支えられていました。もちろん、大企業の存在も大きいですが、それを下から支えていたのが、いわゆる町工場と呼ばれる技術者集団でした。彼らは下請けという地位に甘んじながら、親会社からの過酷な要求に対しても、知恵と工夫によって対処してきたのです。

軽くて強いバネが欲しい。過酷な温度環境でも緩むことのないネジが欲しい。それもコスト増を招かずに開発して欲しい。こんな無理難題に応えてきたのです。彼らは、その仕事によって大きな利益を得ていたわけではありません。しかし、その仕事が日本の発展に寄与するという使命感を持って対応していたのです。バブル崩壊後には、これらの下請けに無理強いするかたちで、自ら延命してきた企業が多いですが、このような過酷な経済環境の中でも生き残ってきた中小企業には、大変な技術が蓄積されています。それは日本の財産です。

ところで、ものづくりの効用はこれだけではありません。ものづくりは、教育現場において、強力かつ効果的な手法となるのです。日本にある大学にとっては、すぐそばにこのような技術者集団がいてくれるということは心強いことであり、それを大学教育に活かすべきなのです。

海外からの攻勢

日本は、ものをつくっていれば、それで事足れりという訳にはいきません。単純作業は後続にまねをされ、追い越されてしまう運命にあります。かつての日本もそうやって今の地位を築いたのですが、いまや中国、韓国が先進国の模倣で躍進し、業種によっては、トップに躍り出て、日本の大いなる脅威となっています。いずれ近い将来には、東南アジア諸国の躍進が始まるでしょう。

それに対抗するためには、日本でしかできない（日本人にしかできない）「ものづくり技術」の開発が必要となります。そのような開発を進めなければ、台頭してきている後進国に対して日本は後塵を拝することになるからです。それを進めるのが日本の課題と考えています。

ある企業の経営者と話をしていたときに、こんな話を聞きました。「すでに確立された模倣可能な技術では、中国や東南アジアにコスト競争で負けてしまう。いまは、製造工場をアジアに移し、現地の従業員を使うことで国際競争力を得ているが、それでは、日本が空洞化する。ある程度体力が残っているうちに、日本ならではの「ものづくり技術」を開発していきたい」と。このような見識のある経営者を積極的に応援していくことが、産官学の使命ではないでしょうか。

中小企業の底力

私の研究テーマは超伝導工学です。その応用開発のなかで、酸化物（セラミックス）であり、硬く脆い超伝導体を数多く並べる必要が出たのです。そのためには超伝導体を精度よく寸法をそろえる必要があります。しかし、加工をしてくれるところが見つかりません。大手企業に問い合わせたところ、一個あたり一〇万円かかると言われました。かなり高いとは思いましたが、当時は予算に恵まれていましたので、お願いすることにしました。

ところが、加工が難しくてとても苦労しているという連絡が来て、やきもきしました。それでも、何とか締め切りに間に合わせることができました。ところが、その後、中野にある町工場ならば、やってくれるのではないかという情報が寄せられたのです。見積もりをお願いしたところ、なんと一個あたり五千円です。試作品もまったく問題ありませんでした。そして、納期も短く済んだのです。

いったいどんな加工しているのだろうと、工場を訪れ、現場を見せてほしいとお願いしましたが、それはかないませんでした。このように、世に知られていないすごい技術が町工場には眠っているのです。それを掘り起こすことも、とても重要だと思いました。

世界に誇れる技術

かつて共同研究をしていた淡路マテリア（社長：三尾堯彦氏）という会社があります。継ぎ手の中堅企業ですが、イノベーション創出にも貢献しています。東工大の森勉、佐藤彰一らの発明品である鉄系形状記憶合金（Fe-Mn-Si合金）の応用開発を三〇年以上続け、物質・材料研究機構の支援も受けながら、ついに高層ビルの制振部材として採用されるに至りました*。まさに、他国にはまねのできない日本独自の技術開発の見本です。

このほかにも、日本の中小企業による世界に誇る研究成果は数多くあります。東京商工会議所は、過去に拘泥することなく高い障壁に挑戦し、理想を追求する中小企業を懸賞する「勇気ある経営者大賞」を二〇〇三年に創設しました。#この受賞者と業績をみると、日本の中小企業の底力がよく分かります。

台湾からの留学生

台湾在住の呉聲潤（ゴセイシュン）という方がおられます。大正十三年のお生まれです。たいへん律儀な方で、「自分が今あるのは日本の教育のおかげである」と、いろいろなところで言われております。

呉さんは、十五歳のときに来日され、芝浦工大☆で学ばれましたが、終戦により、やむなく帰国されます。その際、駅で食べ物を勧めてくれる日本婦人のグループに出会い、非常に感動したそうです。敗戦で、自分たちの暮らしだけでも大変だろうに、こうして台湾へ帰ってゆくわれわれ

＊注―実際には、丸山忠克、大塚弘明らが、新日本製鐵時代から一貫して鉄形形状記憶合金の応用開発を進めていました。彼らが、淡路マテリアに移籍して、ついに花開いたという成果です。
♯注―日本工業新聞社発行の『経営者の挑戦が未来を拓く』という本に詳しい。
☆注―芝浦工大の前身の芝浦高等工学校ならびに、その付属校で学んだようです。

に奉仕してくれる。日本人の美徳を見た気がしたと言われています。

呉さんは、台湾は、日本のおかげで近代化が進んだと感謝されています。日清戦争後の下関講和条約により、台湾が日本の統治下になった当時の台湾総督の民政長官は、かの有名な後藤新平でした。「彼は、明晰な頭脳と、情理に通じた行政官であり、台湾近代化のために、鉄道、港湾、道路、上下水道などの整備を進めるとともに、教育の向上や医療改革にも力を入れ、伝染病を撲滅した」と、呉さんは自伝のなかで、その功績をたたえています。

「白色テロ」を乗り超えて

呉さんが帰国した一九四七年ごろの台湾は荒廃していました。国民党が支配し、親日家の知識人を弾圧し、暴虐のかぎりを尽くしていたと言います。二万八〇〇〇人もの文化人が処刑され、財産や研究成果も没収されたそうです。後に直木賞作家となる邱永漢さんも、難を逃れるために日本に亡命しました。当時の国民党は、蒋介石が率いていましたが、中国本土において、中国共産党との戦いにやぶれた敗残兵の集まりで秩序などなかったのでしょう。国民党政府による反対派への弾圧は「白色テロ」と呼ばれ、一九八七年に戒厳令が解除されるまで続きます。

そんな台湾に失望した正義感の強い呉さんは、志を同じくする数人の仲間と台湾の将来を憂い、行動を起こそうとしました。不幸なことに、それが国家反逆罪とみなされ、特務警察に逮捕されてしまいます。そして首謀格の親友は死刑となりました。しかし、その親友が呉さんの不利になるようなことは決して警察に言わなかったので、呉さんは死刑を免れました。呉さんは、そのことに恩義を感じているそうです。ただし、一二年もの刑を宣告されます。その間の、呉さんとご家族の苦労は並大抵ではなかったと聞きます。しかし呉さんは、この親友に感謝し、自分を見捨てずに辛抱強く待っていてくれる奥さんとお子さんにも感謝し続けたそうです。

出獄すると家族は呉さんを大歓迎してくれます。奥さんはお子さんたちを育てながら、貯金までしていたのです。呉聲潤さんは、自分には日本で学んだ「ものづくり技術」がある、それを生かそうと、苦労しながら「東陽精機工業」を創業しました。一九六四年のことです。

そして日本で学んだ鍛造と加工技術を駆使して、なかなか壊れない金属棒をつくり信用を勝ち得ます。日本の企業や日本の友人たちの助けもあって大成功したのです。今ではご子息が後を継いで呉さんは相談役になられています。呉さんが成功を収めるきっかけになった日本企業との商談の際、担当者は最初、彼の工場のみすぼらしさをみて、取引きは無理と思ったようですが、呉さんの製品を見て技術の確かさを確信したのです。日本側の担当者にも「ものづくり技術」に対する目利きの確かさがあったのです。

李登輝総統

一九九一年に、私が台湾を訪れた際に、超伝導研究の友人が科学院の院長をしていた関係で、当時の総統の李登輝氏（第四代中華民国総統）と会談する機会を得ました。コーネル大学に留学されて農業経済博士号を取得されたということで、最初は英語で話をしていたのですが、途中から、流暢な日本語を話し出されました。驚いたところ、自分は京都大学の農学部出身で、日本の教育を受けたこと、岩里政男という日本名を持っているということも話されました。さらに、日本が台湾の近代化に大変な貢献をしたことに感謝しているとも言ってくれたのです。だから、科学の分野でも協力関係を築きたいと。日本人として、大変、誇りに思ったことを記憶しています。

李登輝さんは一九四七年以降の「白色テロ」の時代に標的にされたのですが、危うく難を逃れたひとりです。

尊敬される日本

日本の「ものづくり技術」を高く評価してくれる国は、台湾だけではありません。東南アジア各国からも高く評価されており、尊敬もされています。残念ながら、日本のマスコミは、このことを報道してくれません。ニュースになるのは、日本に否定的な内容ばかりです。

図23は二〇一四年にASEANの人々に対して、外務省が、どこの国がもっとも信頼できるかということを聞いたときの調査結果です。日本が三三%と圧倒的な1位でした。2位のアメリカが一六%ですから、その差は歴然としています。また、同じ調査の中で八一%の人が「日本は技術が進んだ国」という印象を持っています。このため、ASEAN諸国では、日本で勉強したい

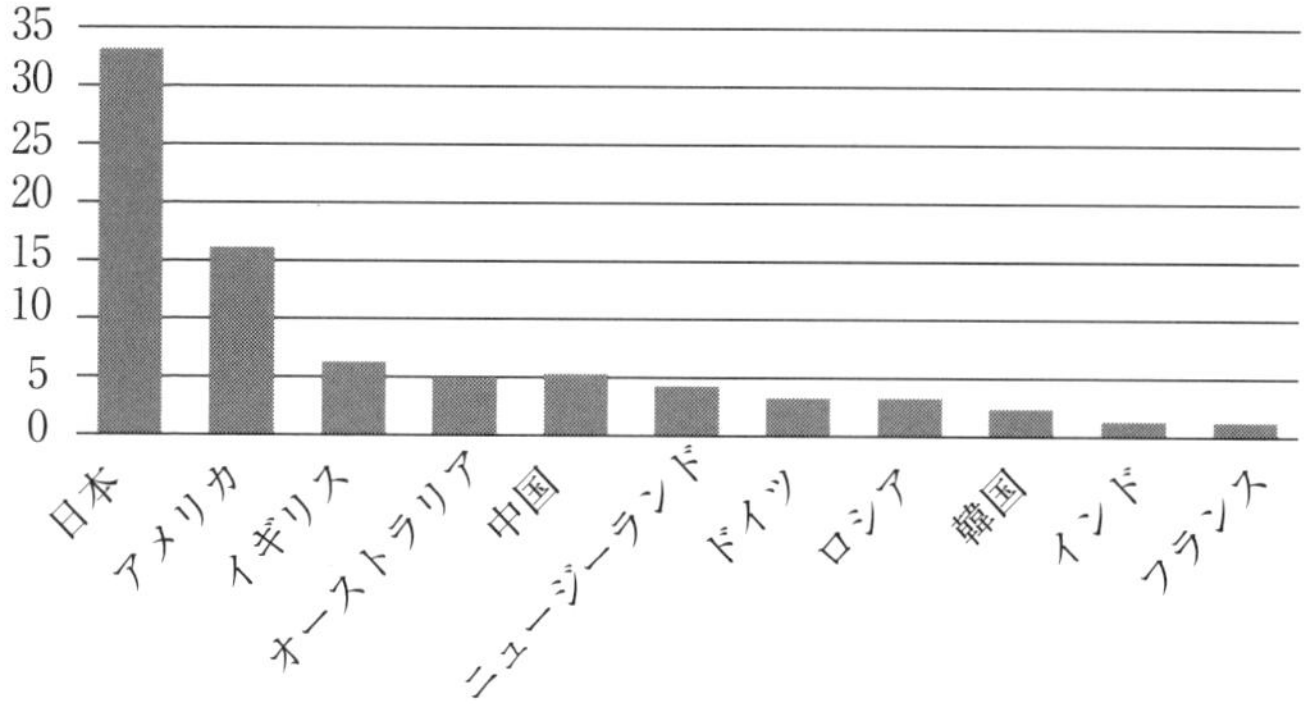

図23　ASEANを対象とした信頼できる国の調査結果（外務省）

という学生も多いのです。

そして、日本が尊敬されているのは、技術だけではありません。これも報道されていませんが、数多くのアンサングヒーローたちの存在です。日本の多くの若者が、青年海外協力隊員となって途上国に出かけ、教育やその地域の衛生環境の向上に寄与しています。現地の方々からは、高く評価されています。このような名も無き人たちの努力によって、日本は海外から感謝されているのです。そのことを忘れてはいけません。

第8章　星をみつける

多くの人は人生に夢を描いていることと思います。夢を持つことはたいへん重要なことです。なぜなら、夢を持つことが人に輝きを与え、そして、夢に向かって努力することが、人を成長させるからです。

環境によっては、人は夢をあきらめることもあります。「自分は不運な境遇にあり、夢の実現など程遠い」と頭から決めこんでしまうこともあるかも知れません。しかし、ちょっとした意識の転換で、まわりの環境に対する見方を変えることも可能なのです。

大志を抱け

「北海道開拓の父」、札幌農学校の初代教頭クラーク博士が残した"Boys, be ambitious!"という有名な言葉があります。「少年よ、大志を抱け」です。

今日では「少年・少女よ」と呼びかけるべきですが。

ところで、私は、夢は大きな志、すなわち大志に通ずるものと思っています。ただし、その夢は野心であってはなりません。「少年よ、大志を抱け」の先にはさらなる言葉があるとされています。*

"Be ambitious not for money or selfish aggrandizement, not for that evanescent thing which men call fame.
Be ambitious for the attainment of all that a man ought to be."
「ただし、金銭や利己的な栄達を満たすための大志であってはならない。自分の名声を得るためだけの空疎な大志であってもならない。大志とは、人間としてあるべき姿を希求することである」

と続くのです。物欲や名誉欲を戒めた言葉と受け取ることもできます。もちろん、いい生活をしたいとはだれしもが思うことであり、それを否定はしません。しかし、それだけで人は満足できないのです。

＊注―北海道大学の研究では、これはクラーク博士の言葉ではないという説が有力です。「北海道大学図書館報『楡蔭』No.29 参照」。とは言え、とても心に響く言葉であることに変わりはありません。

夢を持つ

第3章で登場したヘレン・ケラーの有名な言葉を紹介したいと思います。彼女は、聴力と視力に、言葉も不自由ながらも、サリバン先生の指導もあって、世界的に有名な社会福祉活動家となった女性です。その彼女が、こう言っているのです。

"The best and most beautiful things in life cannot be seen, not touched, but are felt in the heart."

「人生において、最上でもっとも美しいものは見ることはできないし、触れることもできない。それは心で感じるしかないのだ。」

「最上でもっとも美しいもの」とは夢の本質ではないでしょうか。そして、それは心の中にあるのです。

私にも夢があります。私は、材料の研究者で超伝導を専門としています。先端分野の研究をしていると不思議なことがたくさんあることに気づかされます。

第5章で紹介しましたが、水の分子式はH_2Oです。水素原子2個と酸素原子1個からできて

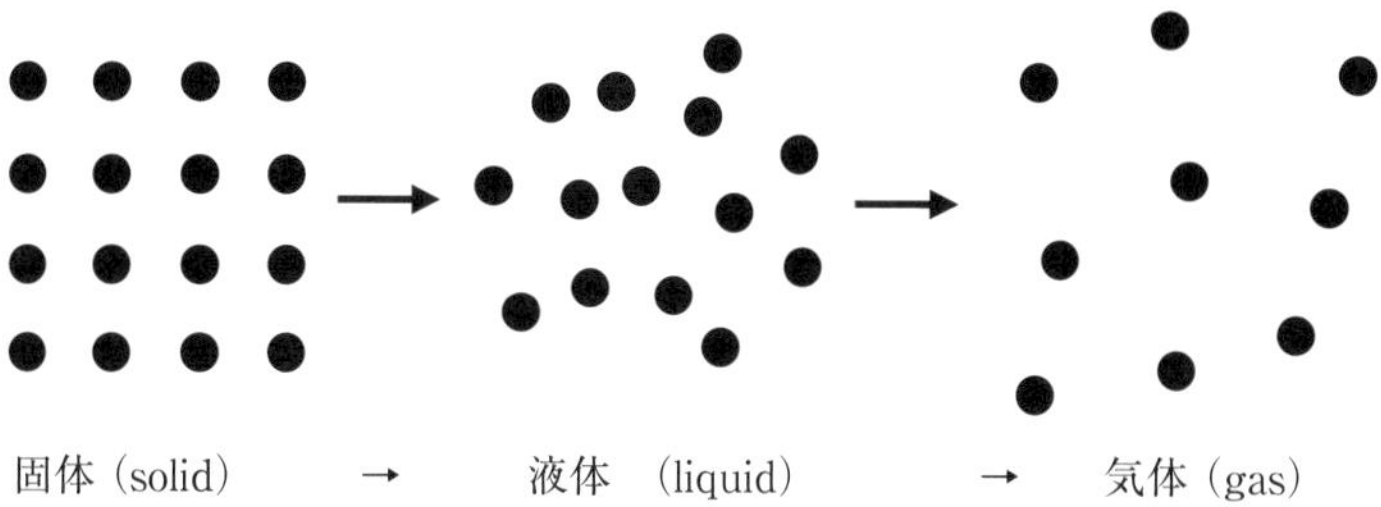

図 24　相変態：物質は低温では固体、高温では気体、中間温度では液体となります。

います。最近では、量子力学により、この構造そのものの理解は進んできました。しかし、なぜ水という分子の集団が、あるときは氷という固体に、あるときは水という液体に、そしてあるときは水蒸気という気体になるのかは量子力学では解明できないのです。これは、水だけでなく、すべての物質にあてはまり、この変化を相変態と呼んでいます。

その理解には、「統計」という概念が必要になりますが、なぜ同じ分子なのに、それが集団となると、このような変化をみせるのか。また、何個の分子が集まれば、相変態が観察されるのか。この理論的な解明をぜひしたいと思っています。過去になんどか挑戦していますが、いずれも粉砕されてきました。２次元ならば何とかなるのですが、３次元になったとたんに、かなり複雑となります。ブレイクスルーが見つかったと思って、計算すると、うまく行かないのです。

同じように、一見簡単そうに見えながら、未解明ということが世の中にはたくさんあります。なぜ金属の銅はあんな色をしているのか。地球はなぜ磁石なのか。磁石のN極とS極は本当に分離できないのか。なぜ時間は逆流しないのか。簡単そうに見えますが、どれも難題です。どれかひとつでも生きているあいだに解明したい。これが私の夢です。

この夢の実現には、金も名声も要りません。紙と鉛筆があれば十分です。私が、自分の頭を使って考えればよいのです。

マイナスをプラスに変える

ところで、先ほどから、夢、夢、夢と連呼していますが、もちろん、夢はそう簡単に適うものではありません。ただし、夢を実現するにあたって、とても大切なことがあります。それは何かというと、「常に前を向く」ということです。

アメリカの有名な教師で作家のデール・カーネギーが『道は開ける』という著書の中で、セルマ・トムソンという女性の体験談を紹介しています。彼女が若いころ、ご主人が、カリフォルニアのモハーベ砂漠に近い陸軍訓練所に配属されたそうです。セルマは、こう書いています。

「私は夫のそばにいたかったので、一緒に引っ越したのですが、そこがきらいでした。胸がムカムカして、あんなにみじめな思いをしたことはありません。夫はモハーベ砂漠での演習に参加するように命じられ、私は小さな掘立て小屋にひとり取り残されました。耐えられないほどの猛暑です。サボテンの日陰でさえ52℃もありました。話し相手はインディアンだけ、しかも英語がうまく通じないのです。風が絶えず吹きまくり、口にする食べ物も呼吸する空気も、何もかも砂、砂、砂だらけでした！」

すっかり、意気消沈した彼女は、両親に手紙を書きました。

「どうしても我慢できないので、家に帰りたい。一分間でも、こんなところにはいたくない。ここにいるぐらいなら刑務所のほうがマシだ。」

と訴えたのです。彼女の手紙に対するお父さんからの返事は、わずか二行の言葉でした。

Two men looked out from prison bars,
One saw the mud, the other saw the stars.
刑務所の鉄格子のあいだから、ふたりの男が外をみた。
ひとりは泥をながめ、ひとりは星をながめた。

彼女は、この二行を何回も読み返しました。彼女は、こう続けます。

「自分が恥ずかしくなりました。そして、私は、いま置かれた環境から、何か有益なものを見つけようと決心しました。星を探そうとしたのです。」

やがて、彼女の生活は一変します。

「私は、先住民と友達になってみて、彼らの応対にびっくりしました。私が織物や陶器類に興味を示すと、観光客にも売らないような大切な品でも、プレゼントしてくれるのです。そして、モハーベ砂漠には、奇妙な格好をしたサボテン、リュウゼツラン、ヨシュアの木があり、とても興味をそそりました。そしてプレーリードッグの生態も学びました。砂漠の夕陽をながめ、砂漠の砂が海底であったころの何百万年もむかしに残された貝殻を探すこともしました。」

「いったい何が、私にこの驚くべき変化をもたらしたのでしょう？　モハーベ砂漠が変わったわけではありません。私が変わったのです。私が心構えを変えたのです。そうすることによって、みじめな経験を、生涯でもっとも面白い冒険へと変えたのです。」

人間には、驚くべき能力がいくつかあると言われています。そのひとつが「マイナスをプラスに変える」能力なのです。セルマは、マイナスをプラスに変えました。それは難しいでしょうか。

いえ、実に簡単なことです。お金もモノもいりません。人が考え方や見方を少し変えればよいだけなのです。同じ窓から、泥ではなく、星をみつければよいのです。

コロナ禍にあって

今回のコロナ感染症拡大によって、世界は大きな影響を受けています。そして、この災厄にあって、泥をみつめる人と、星をみつける人に分かれています。たとえばマスコミは、徹底的に「泥」だけを報道しています。そのマイナス面を強調し、不幸に見舞われた人たちを紹介して、それを政府や社会の無策のせいにしています。しかしこれでは、社会の不満がたまるだけで、何も良いことはありません。私たちは、「星」を見つける努力をする必要があります。

オンライン授業

大学教育もコロナ禍の大きな影響を受けました。二〇二〇年度前期はすべてオンライン授業として、キャンパス内への立ち入りを禁止する大学が多かったと聞きます。

感染拡大防止にとっては仕方のない措置なのですが、世の中からはバッシングの声が聞かれました。「学生がかわいそうだ」「せっかく大学に入ったのにキャンパスにも入れない」「オンラインだけなら通信制大学と変わらない」「オンライン授業は教員の手抜きだ」「施設を使えないのならば、学費を減額すべきだ」などなど、非難の嵐でした。そして、学生からの不満の声も紹介されています。

しかし、いろいろな学生の声を直(じか)に聞くと、プラスの側面もたくさん見えてきます。対面授業では、教室の後方に席をとると、板書の字が見えにくかったり、教員の声が聞きにくいこともあります。ところが、オンラインでは、全員が画面で明瞭に確認できます。講義もレコーディングされますので、分からないところは、早送りでその箇所に飛ぶことで、何度でも視聴できます。

都内に位置する大学は、台風などの自然災害だけでなく、交通機関がマヒしたときの対応も大変です。休講にすべきかどうかの判断のため、大騒ぎとなります。台風接近のために、前の晩の深夜に終日休講というアナウンスをしたら、進路が外れて、翌日は、好天となり、教職員や学生からブーイングの嵐ということも茶飯事です。しかし、オンラインが使えれば、この問題がありません。

先日も、キャンパスから授業をする予定だった教員から、「路線が不通となったので、急きょ、自宅に戻って授業をすることにした」という連絡がありました。以前では、考えられないことです。

働き方改革

コロナ禍で企業の「働き方改革」も進んでいます。コロナ以前は、オンラインでは通信の不安定さが心配であるとか、在宅勤務では上司の管理が行き届かないなどの理由でテレワーク*の導入を躊躇していた企業が多かったと聞きます。しかし、それを余議なくされたことで、そのプラス面がいろいろと分かってきたのです。なによりも長時間満員電車にゆられずに済むことは社員にとっては大きなメリットです。

コロナ禍にあって「なんと自分は不幸なのだろう」と星ではなく、泥を眺める人たちはたくさんいます。一方で、コロナ禍にあっても、いろいろなことに前向きに対応しようとする「星をみつめる」人も多いです。

コロナ禍は、ひとりの人間に降った災厄ではありません。世の中全部がそうなのです。とすれば、それを嘆いて、現状に不満ばかりを言っていたのでは、前に進めません。泥ではなく星を見つけることも大切です。そしてそれは、ちょっとした心がけで変わります。

星をみつける人たち

ある学生は、コロナ禍が自分を見つめ直すよい機会になったと捉えています。また、普段なにげなく思っていた日常がとても大切なことに気づかされたとも言っています。実は、コロナ禍では、本がよく売れたそうなのです。そして、それまで活字などに目もくれなかった人が、あらた

*注―英語ではwork from home: WFHのほうが一般的な呼び方です。さらに、work at homeではなくfromを使うようです。

めて読書に目覚めたという話も聞きます。

ところで大学でも、実験ができないと嘆く教員がいました。実験しないと自分の研究が進まない、なんとか自分だけも研究室に出入りさせてほしいと訴えてきたのです。私からは、「実験ができない今だからこそできることがあります。自分の研究の意義や意味をあらためて考え直す良い機会ではないでしょうか」と伝えました。

また、「これを機に自分の研究成果を論文にまとめてみましょう」とも助言しました。実験ができないとあせっている人たちの多くは、研究業績がない人が多いのです。いたずらに実験をしても、その結果の論理的な整理や考察ができていなければ、論文にまとめることができません。今回のコロナ禍は、それを見つめ直し、クリティカルシンキング力を磨くチャンスと思います。

テレワークが進む一方で、現場で働かないといけない人たちもたくさんいます。たとえば、医療従事者や物流に携わる人たちです。食料品関係者も同様です。エッセンシャルワーカーと呼ばれる人たちです。改めて、これらの人たちの使命感に対する尊敬と思いやりの念を持ったという学生がたくさんいます。

「IKUEI NEWS」

コロナ禍は大変です。ただし、そのおかげで、普段、当たり前と見過ごしていたことに気づかされることもあります。また、それまでの日常を見つめ直すよい機会にもなります。困難なときにあっても、「泥」ではなく「星」をみつける努力をしたいものです。
電通育英会が発行している「ＩＫＵＥＩ　ＮＥＷＳ」という冊子があります。二〇二〇年七月に「コロナ禍に遭遇した大学生たちの心と行動」という緊急アンケート調査報告が、別冊として出版されました。コロナ禍の中で、将来に不安を抱える一方で、「自覚を高め、積極的に学び、そして考える」学生が多いことも分かりました。前向きなコメントも多く、勇気づけられます。

「四月からプログラミング学習を始めた。外出自粛期間に自分の将来を考えていた時にシステムエンジニアという職業を知り、ようやく進む道を見つけることができた」（大学三年男子）
「普段であれば手に取らないようなジャンルの本に挑戦してみた。何となくイメージで敬遠していたものでも読んでみると自分の視野が拡がり、良い経験になった」（大学四年女子）
「今まで読書が苦手だったが、読書を始めた。慣れてきてすらすら読めるようになった」（大学二年女子）
「とにかく新しいことに挑戦しようと思い、プログラミングの勉強を始めた。今まで文系の自分には無理だと思っていたが、意外と苦手ではないことに気づいた」（大学二年男子）
「入学してからずっと予定が詰まっていて、自分の時間が全然取れていなかったことに気づいた。自分と向きあって、やりたいことにゆったり取り組める心の余裕が大事だと思った」（大学二年女子）

コロナ禍は、日本だけでなく、世界に大きな影響を与えています。多くの尊い命も失われました。また、経済に及ぼす影響も深刻となるでしょう。しかし、私たち人類は、その不幸だけを眺め、嘆いていても前には進めません。

多くの学生は、コロナ禍にあっても、積極的に自分自身を見つめ直し、なんとか、プラスの面を見いだそうとしています。「ＩＫＵＥＩ ＮＥＷＳ」の調査で、それを知って、とても温かい気持ちになりました。

北鎌倉女子学園から

大学生だけではなく、日本の中高生がコロナ禍のなかで何を考えているかを、北鎌倉女子学園（学校長：今泉仁氏）の福田孝先生が「ｗｉｔｈコロナの時代に私たちが考えたこと」という文集にまとめたものを送ってくれました。

「インターネット上に溢れる虚偽の情報に惑わされずに自分を強く持ち、この新型感染症に立ち向かっていきたい」（高校二年）

「新型コロナウイルスが収束して自由に大手を振って出歩けるようになった時に何をしようか、何をしたいかを考えるのも存外楽しいものである。私は今できることを一つずつやっていけば、

いつかそれは報われると信じている。だから、悲嘆にくれることはないと思う。」（高校二年）

オンラインの効用についても

「海外出張のほとんど二日間は移動に使われます。オンラインで仕事をすることにより、移動によるストレスや移動時間がなくなり、よりベストな状態で仕事ができ、よりグローバルな会社にしやすくなります。」（高校三年）

という指摘もありました。

「…私は、地球はみんなのものなので、みんなが協力しないといつまでたっても、感染者が出続けると思います。…私たちの協力あってこその地球、いいえ宇宙なので、しっかり、「三密」を避けることが私たちの使命だと思います。」（中学二年）

「いまの若者は…」と苦言を呈する人もいますが、私は、この文集を読んで、希望を持ちました。日本の中高生はしっかりしています。すべてを紹介することはできませんが、勇気をもらいました。

第9章　人を元気にする力

二〇一九年末から始まったコロナウイルス感染は、あっという間に全世界に広がり、社会問題に発展しました。国家間の人の移動が止まり、物流も大きな影響を受けています。経済も大きな打撃を受け、今後、その影響はさらに深刻化していくものと予想されます。

しかし一方で、コロナ禍によって、これまで実現できなかった社会が生まれつつあるのも事実です。多くの企業がテレワークを余儀なくされたおかげで、「働き方改革」が進んでいます。本社を郊外に移転する企業も出てきました。コロナ禍は避けることができません。それならば、逆境のなかにも光明を見いだすことも重要です。

人間には、とても不思議で素敵な力が備わっています。それは、ちょっとした心がけや態度で、人を元気にできることです。

オプティミズム

ここに、水が半分はいったコップがあります（図25）。「もう半分も減ってしまった」と心配する人がいれば、「まだ、半分もあるじゃないか」と思う人もいるでしょう。

物事は、見方や捉え方で大きく変わります。イギリスの首相をつとめたウィンストン・チャーチル卿はつぎの言葉を残しています。

A pessimist sees the difficulty in every opportunity; an optimist sees the opportunity in every difficulty.

図25　コップ半分の水。半分しかないと嘆く人もいれば、まだ半分もあると余裕の人もいます。同じ現象でも、人によって捉え方は異なります。

悲観的な人は、せっかく目の前にチャンスがあっても、いろいろな否定的な考えを並べて、機会を逸してしまいます。一方、楽観的な人は、苦難のときにあっても、その中に、なんとかチャンスを見出そうと努力します。

この姿勢が大切です。

私たちは、苦難のときにも光明を見いだせる人間になりたいものです。人によっては、そんなのは無理と思う方もいるでしょう。しかし、日々の努力で人間は、変わることができます。ちょっとした心がけで人は変われるのです。それを促すひとつの手段は教育であると思っています。

教師にも、悲観的な人と前向きな人がいます。毎日のように、授業で教師から「日本はダメ」「政府もダメ」「教育もダメ」と教えられた生徒は、どうなるでしょうか。おそらく世の中に負のイメージを持つのではないでしょうか。第3章でも紹介しましたが、多くの日本の高校生は、日本の教育はダメと思っています。しかし、実態は違います。

粗(あら)を探したのではきりがありません。教師となる人は、生徒に夢を語り、そして、苦難にあってもプラスの面を引き出すような指導をしてほしいと常に願っています。

人を勇気づけたできごと

炊き出しの中学生

東日本大震災のある被災地に、豚汁の炊き出しが来たときのことです。呼び声がかかったとたん、ひとりの中学生らしい男の子が全速力で、炊き出しの先頭に並んだのです。まわりの人は、その様子を見て、顔をしかめました。小さな子や足腰の弱ったお年寄りもいたからです。

いかがでしょうか。みんな疲弊し、おなかも空いています。この子を責められるでしょうか。

しかし、驚くべきことが起きたのです。その子は、温かい豚汁が入った器と箸を受け取ると、道路にへたりこんでいたお年寄りのもとに、一目散に駆けより、それを届けたのです。そして、自分は何事もなかったように、すでにできていた長い行列のいちばん後ろに並んだそうです。震災に打ちひしがれた人たちの心が、一瞬にして温まったそうです。

このように、人には、他人を元気にする力があります。なにも改まって大層なことをするということではありません。ちょっとした気配りで変わるのです。

コンビニ店を訪れた紳士

つぎに紹介するのは、被災地にあったコンビニ店で働いていたアルバイト学生が語った話です。彼が店で働いていたとき、強い地震に見舞われました。幸い鉄筋でできていた店の被害は少なく、学生は、なんとか店を開いていたのですが、客はまばらです。着の身着のままで逃げてきた人たちは、お金をもっていないので、ものを買いたくても買えないのです。

しかし、アルバイトの身では、なにもできませんでした。そこに、ある男性がやってきて、店のものを全部買おうと厚い財布から現金を取り出したのです。

その学生は、「人が困っているときに、この男は店にある貴重な食料品や日常品を買い占めるつもりなのだ。自分さえよければよいのか」と憤りを感じたそうです。それでも、客は客です、売らないわけにはいきません。

会計が終わると、この男性は、アルバイトの彼に手伝ってくれと言いました。「この男の家まで品物を運ばせる気か」と、また嫌な気分になりましたが、その男性は「コンビニの駐車場に、店の品を全部並べてくれ」と言ったのです。そして「ほしい人にタダで分けてほしい」と言い残し、その場を立ち去ろうとしました。

驚いた学生は、「お客さんは大丈夫なのですか」と聞きました。すると、男性は「幸い、家は壊れなかったし、食べ物の蓄えもある。家族だけなら数日は大丈夫」と笑顔を見せました。

そして「つぎのコンビニに行かないといけないから失礼するよ」と少しはにかみながら去っていったそうです。その駐車場にタダで置かれた品物を、被災した人たちは学生に感謝の言葉をかけながら、必要最低限のものだけを持ち帰ったそうです。

再び言います。人には、逆境にあっても他者を元気にする力があります。そして、その力で、環境も人の心も変えることができるのです。

世の中のできごとには、すべてプラスの面もあればマイナスの面もあります。そしてマイナスの面を探して非難するのではなく、プラスの面に目を転ずれば、自分も、そしてまわりも変わることができます。

かつて、私の友人が職場近くのマンションから、郊外の持ち家に引越をしたとき、通勤に、家から駅まで歩いて二〇分もかかるようになったと不満を漏らしていました。そこはバスがなかなか来ないので、仕方なく歩いたようなのです。しかし、毎日運動したおかげで、一年後には、すっかり健康体になったのです。彼はそれに感謝し、健康にも気をつけるようになりました。

日々の生活にプラス面を探す。それがたとえ小さなことであっても、人の生活は変化するはずです。あるときは劇的に。そしてそれが正の循環をもたらします。ぜひ苦難のときにも光明を見いだせる人生を送りたいものです。

プールを歩く少女

苦難にあってもプラス面を見いだす。言葉では簡単ですが、なかなか実行するのは難しいかもしれません。私はそういう考えができるようになるためには、教育が重要と考えています。そして教育を担う教師の存在も大きいのです。ここで、私の敬愛する教師である東井義雄先生の著書*に紹介されているエピソードを記します。

広島市の女子高校生のA子さんは、小児マヒが原因で足が不自由でした。A子さんが通う高校では、毎年七月のプール解禁日に、クラス対抗１００メートル水泳リレー大会をしています。男女二名ずつがそれぞれ25メートル泳ぐ競技です。

A子さんのクラスでこの大会の出場選手を決めていたとき、女子一名がどうしても決まりませ

＊注－東井義雄『「いのち」の教え』（佼成出版、一九九二）。

んでした。早く帰りたいクラスのボスは「A子はこの三年間、体育祭、水泳大会に一度も出ていない。最後の三年目なのだから、お前が参加しろ」といじわるなことを言い出しました。

A子さんはだれかが味方してくれると期待したのですが、女子生徒はなにか言えば自分が泳がされると思い、みんな口をつぐんでいます。男子生徒もボスグループに憎まれたくないから、なにも言いませんでした。そして、結局泳げないA子さんが選手に選ばれたのです。

彼女は家に帰り、お母さんに泣きながら訴えました。するとお母さんは「お前は来春就職して、その会社でなにかできない仕事を言われたら、また泣いて私に相談するの？　そしてお母さんがそのたびに会社に行って、うちの子にこんな仕事をさせないでくださいって言いに行くの？」と、そう言ってA子さんを突き放しました。

その日、A子さんは部屋で泣きはらしましたが、結局、25メートルを歩く決心をし、そのことをお母さんに告げました。

水泳大会の日、お母さんは仏間で「A子を守ってください」と必死に仏壇に向かって、何度も何度も祈っていました。

そして、A子さんの順番が回ってきました。水中を1メートル進むのに二分かけて歩くA子さんを見て、まわりから笑い声やひやかしの声が響きました。彼女がやっとプールの中ほどまで進んだとき、驚いたことに、一人の男性がスーツを着たままプールに飛び込んで隣りを歩き始めたのです。高校の校長先生でした。先生は「何分かかってもいい、ゴールまで一緒に歩こう」そういってA子さんを励ましてくれたのです。

私は、この話から多くのことを学びました。娘のことを思い、あえて過酷な環境にA子さんのことを送り出したお母さんの思い。とてもつらかったと思います。しかし、彼女の将来のことを考え、心を鬼にしたのです。そしてA子さんのプールで歩く姿をみて、いても立ってもいられずに、スーツを着たままプールに飛び込んだ校長先生の思い。なかなかできることではありません。

そして、この話には続きがあります。A子さんがゴールしたとき、会場にいた全員が、拍手と涙で彼女を迎えたのです。その中には、クラスのボスの姿もありました。

ナズナ花咲く垣根かな

教育こそが世の中を変える源泉という話をしてきました。このとき、教育者の存在はとても重要となります。世の中には、いろいろな生徒がいます。なかには、できる子もいるでしょうが、実際には、優秀ではない子の方が多いのです。でも優秀かどうかは、ある一面での判断です。

東井先生は、いろいろな生徒に目配りをされる先生でした。その理由は、できない苦しみを先生自身がよく知っているからだと語っています。ここで、教育者を志す方や、上司として部下を育成する立場にある人たちに、贈りたい句があります。それは

図26　ナズナの花

「よく見れば、ナズナ（薺）花咲く垣根かな」

という松尾芭蕉の句です。

ナズナは「ぺんぺん草」とも呼ばれる春の七草のひとつですが、小さな白い花を咲かせます。花といっても、桜の絢爛さやバラの華やかさに比べると、とても貧相で、人は、その存在に気づきさえしません。

ぺんぺん草は荒れた土地でも生えるので、「ぺんぺん草が生える」というと荒れた土地のことを指し「ぺんぺん草も生えない」というと荒れ果てて、なにもない状態のことを指します。

芭蕉のこの句は、教育に携わる者に、重要なメッセージを送るものだと思います。目立たずにひっそりと咲く花にも、目を配る気遣いが必要という教えです。

私たち人間は、どうしても華やかなものに目を奪われがちです。真っ赤に咲いた薔薇の花には、半分驚きながらも、心奪われます。しかし、教師たるものは、小さいながらも、ナズナが白い花を咲かせるということに気づくことも大切なのです。

ナズナの花は、見た目は貧相かも知れません。しかし、春の七草に数えられるように、若い苗は食用にされ、七草粥に入れます。かつては冬季の貴重な野菜であったのです。また、数多くの薬効が知られており、日本だけでなく、欧米でも薬として服用されてきました。

このような隠れた才能を見つけるのも教育者としての使命であろうと思います。教育者を目指す方々には、ナズナが咲かせる小さな花の存在に気づき、その価値を認められる人間になってほしいと思います。

うれしかったこと

学生三人の連携

外部の方からの連絡で、ある事を知りました。芝浦工大の学生三人が、講義の一環で実習に向かう途中、ひとりの女性が怪我をして倒れているところに出くわしたのです。彼らは機転を利かし、ひとりが介抱し、ひとりは近くのドラッグストアで応急手当の品を購入し、そしてもうひとりは救急車の手配をしました。三人の連携プレイで、その女性は事なきを得ました。そのまま三人は、その場を立ち去ったそうなのです。後日、その女性のお嬢さんが、どうしても感謝の意を伝えたいと大学に連絡をくれたのです。このことを聞いた職員や教員はみな感動しました。そして、そのような学生が大学にいることを誇りに思ったのです。

今回のことは、たまたま外部からの連絡で、大学の知るところとなったのですが、このような知られざる善行は、数多くあるのではないでしょうか。世の中の表に出ることは、まさに氷山の一角なのです。

ある感謝の気持ち

ある会合に出かけたとき、福祉スポーツ関係の方から「芝浦工大の学長さんですか?」と声をかけられました。話を伺うと、本学出身の車椅子バスケットボール日本代表の選手が、「芝浦工大の職員や教員のみなさんに、本当によくしていただいた。たいへん感謝しています」といつも言っているそうなのです。今日の会合の出席者に私の名前を見つけ、どうしても一言お礼を言いたかったというのです。

それを聞いた私は、たいへん幸せな気持ちになりました。これも表には出ない善行のひとつではないでしょうか。

アンサングヒーロー

かつて私は、立派な賞をもらいたいと思っていた時期があります。実際に、研究や論文に関するいろいろな賞もいただきました。賞をとるために、少し無理をしたこともあります。しかし、あるときから、かたちだけの名誉には興味がなくなりました。ある栄誉の影には、数多くの見えない支えがあります。賞賛されるべきは、その方たちではないだろうか、そう思えるようになりました。そして、賞を受けるよりも、人としてどうあるべきかを希求するほうが、人生に大きな意味を持つと考えるようになったのです。先ほど紹介した三人の学生は、まさに人としてあるべき行動をとったのです。そして、彼らの行為は多くの大学教員や職員を元気にしてくれました。

人間には、素晴らしい能力があります。それはちょっとした行動で、人を元気にできる力です。

第10章　才能とはなにか

未来が見えないＶＵＣＡ時代を生き抜く処方箋として、「自らを磨くこと」が大切であると話してきました。そのためには教育が大切であり、教育こそが将来の希望であると話しました。ところが、最初から自分には才能がないと「自ら磨くこと」をあきらめてしまう人がいるのです。その気持ちも分からないではありません。特に、若いころの自信の喪失はだれもが経験するものです。しかし、最初から自分には才能がないと努力をあきらめるのは、残念です。

この点に関して、高校時代の恩師である安藤厚先生の著書『自彊（じきょう）やまず』という本*で知ったエピソードが心に深く残っています。それを、まず紹介したいと思います。

眠っている才能を起こす

有名なエッセイストの神津カンナの話です。彼女のお父さんは、有名な作曲家である神津善行です。彼がカンナさんに与えたとても大切な教えを紹介したいと思います#。

神津カンナは役者の勉強をするために、十八歳のときに、ニューヨークの大学に留学しました。最初の一年は、無我夢中だったそうですが、アメリカ生活にも慣れはじめた二年目の冬、大きな壁にぶちあたりました。

自分に役者の才能はあるのだろうか、という若者なら必ず一度は経験する「自信の喪失」と「才能への不安」に陥ったのです。そして相談する相手もなく、何か月か悩んだ末、お父さんの神津善行に手紙を書いたそうです。「自分には役者の才能はないのかもしれない。これ以上アメリカにとどまっても意味がない」と。

何週間かして、お父様から速達が届いたそうです。そこには、こう書かれていました。

「手紙読みました。お父さんの考えていることを書きます。才能というものは、あるなしで判断するものではなく、寝ているか起きているかということで判断しなければいけないと思います。

誰でも何かの才能はあるのです。そしてその才能を起こしてやるために、人は若い時、勉強や修業をするのです。才能がないとあきらめるのは間違いです。才能を起こす力が足りないのだと恥じてください。

＊注―安藤厚著『自彊やまず』（平成九年、自費出版）印刷「白ゆり」。
＃注―残念ながら、本当の出典を調べても分かりませんでした。ここでは、安藤先生の著書からの引用とさせていただきます。

ただし、あなたの中に眠っている才能が、役者の才能かどうかはお父さんもわかりません。しかし、才能が何であれ、そう簡単に目覚めてくれるものではないはずです。

あなたは薄っぺらなやり方で修業をしているのではありませんか。奥底に眠っている才能を起こすためには、体に剣をつきさすような修業の仕方をしなければいけません。薄っぺらなままでは、いつまでたっても、あなたの才能は起きてはくれません。」

彼女は何度も何度もその手紙を繰り返し読んだそうです。小雪の舞うキャンパスの芝生の上で、学生食堂で、寮の自分の部屋で。そしてその日から、本当の意味での勉強がはじまったのです。

彼女はこう書いています。

「私は愕然となった。今まで自分では一所懸命やっているつもりだった。しかしそれは一人よがりの薄っぺらなとり組み方だったのである。目が洗われるとは、こういうことなのかもしれない。」

それから彼女はそれまで以上に勉強に取り組みました。そして、演劇の一つのジャンルである脚本の講義を聞き、実際に自分の手で書いているうち、ものを書くという仕事に心がひかれはじめたのです。そして、血のにじむような努力を続け、彼女は有名なエッセイストになりました。

自分の才能を見つけたのです
私が魅かれたのは「才能はあるなしではなく、寝ているか起きているかで判断するものなのだ」という神津善行のメッセージです。
「才能がない…」とあきらめることはたやすいことでしょう。しかし、自分の中に眠っているかも知れない才能を目覚めさせる努力をすることがどんなにたいへんなことなのか、でもそれに挑むことが人生の喜びともなるのです。

才能をみつけた学生

私の研究室に卒業論文研究で配属されたある学生の話を紹介したいと思います。「自分は成績が学年でビリのほうなので、卒論研究についていけるかどうか、とても心配です」と彼は私に不安を訴えました。ひとりで論文をまとめる自信がなかったのです。ずっと講義もつまらなくて、「自分には勉強が向いていないと思う」とも言っていました。正直、面談したときの彼の目には光がありませんでしたし、どこか姿勢に芯が通っていない、そんな印象を受けました。

少し思案して、ひとりで進めるのが不安ならば、ある企業との共同研究に参加してみないかと彼を誘いました。

それでも最初は、なかなか気乗りがしなかったようですが、あるときから彼の態度が変わったのが分かりました。それまでは、大学に出てこない日があったり、ふらりとやってきて参考文献を斜め読みしたりする日々だったのが、やがて気がつくと毎日出てくるようになったのです。しばらくして、「相談がある」と私の部屋を訪ねてきました。「大学院に進学したい。こんなに研究が面白いとは思わなかった」と目が輝いています。

それまでの彼は、常に受身でした。講義も一方通行で、興味が持てなかったのでしょう。しかし卒論研究になり、企業の方と一緒に研究開発を進める中で責任を感じ、自覚したのです。企業の方も彼を一人前として扱い、信頼していろいろな相談をしてくれたようです。そうしたあるとき、自分なりのアイデアを提案すると、企業の方が評価してくれたのがとてもうれしかったと言うのです。そして研究を進める中で、自分の不勉強を恥じ、自ら学びはじめたのです。卒論研究のかたわら、大学院入試の勉強にも真剣に取り組んでいました。そして見事合格しました。

彼の卒業論文発表は、自信にあふれ、堂々としたものでした。自分が主体的に取り組んだ課題です。だれよりも、指導教員の私よりも自分のほうが知っている、そんな自信にあふれた発表でした。

そして、彼は大学院に進学します。すると驚いたことに、大学院に進学して早々、「国際会議に発表したいので、英語をチェックして下さい」と発表原稿を持参してきたのです。なんという変わりようでしょうか。企業の方に誘われ、その気になったようです。正直、まだ早いかなとは思いました。しかし、本人がその気になっているのです。その芽を摘んではいけません。彼が用意したアブストラクト*は、つたない文章ではありましたが、一生懸命さが伝わるものでした。

国際会議での発表後、ますます自信がついたようです。驚くほど、彼は研究に取り組み、活き活きとしていました。

結局、彼は、修士課程の二年間で、国際会議で二回も発表し、そして、英語論文も二報書きました。学部では自分には勉強が不向きだと恥じていた彼が、見事、大学院修了時には「優秀な大学院生」として表彰されたのです。そして、ある自動車会社に就職しました。

大学院修了後に、研究室に顔を出した彼は、「大学と先生には本当に感謝している」と言ってくれました。しかし、そうではないのです。彼が自らの力で、自分の才能を開花させたのです。私は、そのきっかけをつくったに過ぎません。

多くの人のなかには、いろいろな才能が眠っています。その才能がなにかは、分かりません。しかし、その才能を目覚めさせる努力をすることが大切なのです。眠っている才能を起こす努力をしなければ、その才能は、一生眠ったままとなります。

人の才能の多様性

椋鳩十（むく）は、動物文学の代表的人物です。彼は、動物の優れた能力を紹介しています。

*注ー研究発表の概要のことです。国際会議は、提出されたアブストラクトを見て、発表の採否を決定することがあります。

たとえば、コウモリは超音波を使って、獲物や周囲の物体の正確な位置、距離、速度、大きさなどの情報を瞬時に得ることができます。超音波を数秒程度の短いパルスとして発信し、目標物からの反射波を受信して瞬時に解析しているのです。驚くべき能力です。このような高性能レーダーでも難しい能力を、コウモリは生まれながらに持っているのです。

多くの動物には驚異的な能力があり、人知を超えたものがほとんどです。四足歩行の動物たちの走る速さも驚異的です。最近では、ロボット開発において、これらの動物たちの有する能力をまねようとする動きもあります。二〇〇五年にボストン・ダイナミックス社が開発した四足歩行ロボットの「ビッグドッグ」は大きな注目を集めました。ビッグドッグは、起伏の激しい地形で、歩兵に随行して、重量物を搬送できるロボットとして開発されたものです。

椋鳩十は、動物には驚くべき能力が備わっており、実に多様であると話しています。しかし一方で、ある種の動物に注目すると、その能力には大きな差がないというのです。チータはみな足が速く、足の遅いチータはいないのです。超音波を発振できないコウモリもいませんし、空を飛べない鳥もいません。* 動物たちの驚くべき能力は、個ではなく、種に与えられているのです。

人の才能の多様性はどこから来るのか

ここで、椋鳩十は、人間の多様性に言及します。彼は、人間の能力の多様性は動物にはないものだと感心します。# 確かに、足の速い人もいれば、歌が上手な人もいます。楽器を器用に演奏する人もいれば、暗算の天才もいます。しかし、動物と違って、これらの能力は最初から人間に備わっているわけではありません。きびしい訓練を経て、はじめて獲得できるものなのです。

一人ひとりの人間にどんな才能が眠っているかは、本人にもだれにも分かりません。「才能はあるかないかではなく、眠っているか起きているか」なのです。それだけに人間は無限の可能性を秘めているとも言えます。

福島尚の絵

人の才能に驚かされることは、たくさんありますが、最近の話題として、福島尚を紹介したいと思います。まず、図27を見てください。きれいな鉄道写真に見えますが、いかがでしょうか。実は、これは写真ではなくて絵なのです。

鉄道信号事業や交通情報システムなどを手がける「日本信号」という会社が二〇一五年に発行した報告書の表紙を飾り、ネットで大きな話題となりました。絵のタイトルは「首都圏」となっています。まるで写真と変わりません。しかしもっと驚くことがあります。それは、これがス

＊注―ペンギンやニワトリのように飛ばない鳥もいます。ただし、いざとなったらニワトリも一〇〇m飛んだという記録もあるようです。種によっては、超音波を使えないコウモリもいるようです。
＃注―椋鳩十著『人間は素晴らしい』（偕成社、一九八八）、『感動は心の扉をひらく　しらくも君の運命を変えたものは？』（あすなろ書房、一九八八）。

図 27　福島尚が描いた鉄道の絵。『福島尚鉄道画像集——線路は続くよ』として、二見書房から出版されています。

ケッチではないということです。福島尚は、一度見た風景を脳裏に焼き付けて、自宅に戻って精緻な絵を描いているのです。驚くべき才能です。

しかし、福島尚の才能はどのようにして育まれたのでしょうか。彼は、どのようにして自分の中に眠っている才能を起こしたのでしょうか。それは、専門家にも分かりません。

ご両親によると福島さんは自閉症で知能年齢はそれほど高くはないということです。鉄道が大好きで、小さい頃からよく電車を見に行っていたそうです。専門家は「鉄道が好きという気持ちが、写真のシャッターのように、すべてを記憶するという能力に結びついたのではないか」と推測しています。すごい能力です。さらに、それを描ききる絵の才能も並大抵ではありません。まさに「好きこそものの上手なれ」ではないでしょうか。

数の才能

人間が持つ、驚嘆すべき能力については、過去にもいろいろと報告されています。

新渡戸稲造（にとべ）がアメリカを訪れたときに出会った少年は、
793625×99673
という計算をたちどころに行い、7910298625という正解を出したというエピソードが『修養』という本に書かれています。

この少年は、小さい頃から数字に興味があり、いろいろな数をとにかく眺めていたそうです。それが高じて、計算もできるようになったとされています。そろばんの得意な人たちが、暗算でこうした計算ができることは知られています。頭の中でそろばんをしているということですが、その能力にも驚かされます。この少年も頭の中で何かを計算していることは確かです。ただし、それが私たちと同じものかどうかは分かりません。

素因数分解

さらに、人知をはるかに超えた能力もあります。スーパーコンピュータでも難しいと言われる素因数分解*を簡単にやってのける人がいるのです。14 = 2 × 7や、30 = 2 × 3 × 5という程度の素因数分解ならば私でもできますが、30031 = 59 × 509のように、59と509という大きい素

＊注―素因数分解とは、数を素数の積であらわすことを言います。素数とは自分自身と1以外の約数を持たない数で、2、3、5、7、11、13…などです。素数以外の数は、すべて素数の積で与えられます。

数の積への分解は一筋縄ではいきません。

さらに

147573952589676412927 = 193707721 × 761838257287

という素因数分解はいかがでしょうか。

どうやって計算したか皆目見当がつきません。確かに、右辺は巨大な素数の積となっています。(これらの数が素数ということを確かめるのも大変ですが。)左の数は「メルセンヌ数」と呼ばれ、素数になる可能性を秘めた数です。*しかし、素数なのか素数ではないのかを手計算で確かめるのには大変な労力を要します。この素因数分解を一九〇三年のアメリカ数学会で披露した数学者のフランク・ネルソン・コールは、たいへんな喝采を浴びたそうです。後にコールは、この因数を発見するのに「毎週日曜日、三年間」かかったと答えたそうです。

ちなみに、大きな数の素因数分解は、スーパーコンピュータでも解くのが難しいため、国家機密に関わる暗号にも利用されています。上式の左辺を暗号とすれば、右辺のいずれかの番号をパスワードとして使えることになります。素因数分解が暗号解読の鍵と分かっていても、左の数字を素数の積に容易に分解することができないからです。よって、もし素因数分解できる能力をもった人がいるとしたら、暗号界では脅威となるのです。

一方で、右辺から左辺を計算することは、単なる掛け算なので簡単です。よって素数から暗号をつくること自体は容易であり、凡人でも可能なのです。

The sky is the limit

人間の脳の機能については、まだまだ解明されていないことが多く、未踏の分野のひとつです。世の中には、才能に恵まれた人がたくさんいます。音楽の才や、数学の才、語学の才など多種多様です。先ほど紹介した福島尚もそのひとりです。オリンピックの金メダリストたちもそうです。多くの才能に出会うたびに、人の持つ無限の可能性について不思議な思いに駆られます。

私の好きな言葉に「The sky is the limit」という英語のフレーズがあります。直訳すれば、「空が限界」となります。しかし、空は宇宙へとつながり、果てがありません。したがって、このフレーズは「あなたの可能性は、宇宙に続く空のように無限である」という意味となります。

私が、この言葉に出会ったのは、千葉敦子という世界で活躍したジャーナリストが書いた『若いあなたへ！』というエッセイ#でした。彼女は、その中で、つぎのような一文を残しています。

"Do not underestimate your own potential ability.
You may be surprised how much you can do when you really try.

＊注―メルセンヌ数とは 2^n-1 というかたちをした数です。ただし、n は整数です。左辺の数は67番目のメルセンヌ数で $2^{67}-1$ です。一九〇三年まで素数かどうかが議論となっていました。コールは数学会に現れ、黒板に表記の数式を書き、会場から万雷の拍手をもらったということです。この数が素数ではないことを初めて証明した瞬間でした。

#注―千葉敦子著『若いあなたへ！』（借成社、一九八八）

Don't give up too soon.
And don't listen to discouraging advice.
Keep your goal high, and take a realistic first step now.
And always remember that the sky is the limit."
「自分の可能性（潜在能力）をみくびってはいけません。
本気になって挑戦したとき、自分がどれだけのことができるかに、あなたは驚くはずです。
すぐにあきらめないで。
後ろ向きの忠告にも耳を傾けてはいけません。
自分の目標を高く持ち、いまから確かな一歩を踏み出しましょう。
そして、忘れないでください。あなたの可能性は無限なのだということを。」

人間は宇宙の中で実にちっぽけな存在です。しかし、その頭の中の可能性は無限大なのです。
なぜなら人は、極微の世界の謎や、壮大な宇宙のできごとなど、何でも頭の中で考えることができるからです。それに際限はありません。

第11章　持続可能な開発目標(SDGs)

国際連合は、二〇一五年九月の国連サミットで、図28に示すような「持続可能な開発目標(SDGs)」を加盟国の全会一致で採択しました。* 二〇三〇年までに持続可能で、よりよい世界を目指す国際目標です。地球上の「だれ一人も取り残さない(leave no one behind)」という誓いも掲げています。

SDGsの17の目標

国連が掲げるSDGsの17の目標を具体的に列挙すると、つぎのようになります。

*注―SDGsについては、国連のWebsiteに詳しい解説が載っています。また、外務省はJAPAN SDGs Action Platformというサイトで詳細な取り組みを紹介しています。

図28　国連が2015年に提唱したSDGs

1　貧困をなくそう（no poverty）

2　飢餓をゼロに（zero hunger）

3　人々に保健と福祉を（good health and well-being）

4　質の高い教育をみんなに（quality education）

5　ジェンダー平等を実現しよう（gender equality）

6　安全な水とトイレを世界中に（clean water and sanitation）

7　エネルギーをみんなに、そしてクリーンに（affordable and clean energy）

8　働きがいも経済成長も（decent work and economic growth）

9　産業と技術革新の基盤をつくろう（industry, innovation and infrastructure）

10　人や国の不平等をなくそう（reduced inequalities）

11　住み続けられるまちづくりを（sustainable cities and communities）

12 つくる責任つかう責任（responsible consumption and production）
13 気候変動に具体的な対策を（climate action）
14 海の豊かさを守ろう（life below water）
15 陸の豊かさも守ろう（life on land）
16 平和と公正をすべての人に（peace, justice and strong institutions）
17 パートナーシップで目標を達成しよう（partnership）

これら17の項目は、人類が叡智をしぼって取り組むべき喫緊の課題と思います。ＳＤＧｓは、最近、日本でも大きな注目を集めており、多くの企業も目標達成に向けた取り組みを展開しています。世界の大学も、ＳＤＧｓに関する教育研究が重要という認識を持っています。また、これらの目標をみると、互いに関係しているものがたくさんあることにも気づきます。つまり、それぞれの目標に対する解決策だけでなく、相互の関係についても理解しておく必要があるのです。

そのうえで、その解決には「クリティカルシンキング」の手法が重要です。なにが課題かを明確化し、根拠のある事実に基づく論理的なアプローチをとることが大事です。つまり他者の主張を鵜呑みにするのではなく、自分で基本を理解する姿勢がとても重要です。

気づきの大切さ

芝浦工大の学長として、SDGsは大学全体で取り組む必要があると考えていました。しかし、それをどうやって全学に浸透させるかは大きな課題です。システム理工学部の環境システム学科では、SDGsへの取り組みを学科の目標と一体化させています。これは、学科の教育研究内容にSDGsがマッチしているからできるのです。他の学科ではそうはいきません。

そこで提案したのが、全教科のシラバスに、どの科目の内容がSDGsのどの目標に関係しているかを明示することでした。これならばまず、教員がシラバスを作成する際に、自分の教えようとしている内容が、17の目標とどうつながっているかを考えるきっかけになります。また、教員自身の気づきを促すことにもなります。抽象的にSDGsを意識してくださいとお願いしても、浸透は難しいでしょう。

一方、履修する学生もシラバスを見れば、この科目で学ぶ内容がSDGsの何番目の目標と関係しているのかが分かります。17の目標すべてを一度に見せられたらとまどうかもしれませんが、ひとつひとつの項目に落とし込めば、自分なりに吟味することも可能となります。しかも学生はいろいろな科目を履修しますから、それぞれの学問がどの項目と対応するかを否応なしに目にすることになります。

SDGsへの取り組みにおいてまず重要なことは、個人がそれを認識すること、つまり、「気づき」であろうと思います。なにが問題かを自ら認識しないのでは事は始まらないからです。

その上で私見を述べさせていただけば、SDGsの目標達成でもっとも重要なことは教育であろうと思っています。本書でも紹介してきたように、教育によって「自分自身を磨くこと」がいろいろな問題解決につながるからです。とは言え、全員が質の高い教育を受けることができないのも世界の現状です。

その点、日本においては、すべての子供に教育を受ける権利があります。これはとても幸せなことなのです。私たち日本人は、そのことをよく認識すべきと思っています。

自然と人間

「国破れて山河あり、城春にして草木深し」とは有名な杜甫作の漢詩「春望」の一節です。この詩は、松尾芭蕉が平泉を訪ねたおり、かつて権勢を誇った藤原一門の都である平泉も廃墟と化しており、向こうに見える金鶏山と北上川だけが昔の形をとどめ、忠義の志士たちが華々しく散った跡は一面の草原となっているのを見て、『奥の細道』で引用されています。

高校時代の恩師から私は、大学入試でこの漢詩の主題を聞かれたときには、「自然の悠久さに対する人為のはかなさ」と答えればよいと教えられ、いたく感激したことを覚えています。

いずれにしろ、自然がときに垣間見せる驚異的な力の前に、人が為したものなど無力に等しいということを、過去に何度も思い知らされてきました。

近代化が進み、科学技術が発達した現代においても、毎年のように日本を襲う台風によって、人為的な対策もむなしく甚大な被害が出ています。また二〇一一年の東日本大震災では、地震によって発生した巨大津波によって世界最大級を誇った人工堤防はあっけなく粉砕され、福島の原子力発電所も壊滅的被害を受けました。まさに自然の力は、人間の力を嘲笑っているとしか言いようがありません。

その一方で、科学技術の発展とともに、悠久であるはずの自然に対し、人為が影響を与える事態が発生しつつあるのです。かつては人間の興した産業が自然を破壊して公害をもたらし、多くの人間が被害を受けたのです。日本で起きた、水俣病やイタイイタイ病、四日市ぜんそくなどがその例です。

森林伐採による砂漠化、砂漠から大陸をまたがって飛んでくる黄砂、さらには酸性雨など、深刻な環境問題も生じています。人間が人工的につくった物質であるフロンによって、オゾン層が破壊され、紫外線による皮膚病の増大が危惧されているのは有名です。

「自然の悠久さを揺るがす人為のあさはかさ」とも言うべき危機に瀕しています。その結果、SDGsに掲げる課題が生じていると言えます。私たち人類は、科学技術を駆使してSDGsの基本を整理し、いかに対処すべきかを真剣に議論すべきです。ただし、その試みは、地球の現状を多面的に俯瞰し、数値データをもとに分析し、いかに課題解決すべきかを議論するものでなければなりません。

このとき他人の意見を鵜呑みにするのではなく、自分の頭でよく考えることが重要です。さらに環境問題を政争の具としたり、国家の利己主義、特定の個人あるいは団体の利益誘導に与（くみ）してはならないのです。

人口増と環境負荷

二〇世紀以降の地球の人口は、図29に示すように、爆発的に増加しています。人は生きるために、地球上の他の動植物を食料としています。人が増えれば、それだけ食料が必要となります。また人は生きるためにエネルギーを消費してもいます。人口が増えれば、貴重なエネルギー源を浪費することになります。さらに、人が増えることによる環境負荷の増大も問題となります。人口増による食料不足や、環境悪化の増大が懸念されているのです。

現在七六億人の世界人口は、二〇五〇年には九八億人に達するとされています。どれほどの人口増加に地球は耐えうるのでしょうか。本格的に、それを議論する時期に来ていると思います。

残念ながら、人口増問題はSDGsでは取り上げられていません。先進国などで、少子化が問題となっていることも関係しているのかも知れません。しかし、人口問題は、SDGsのすべて

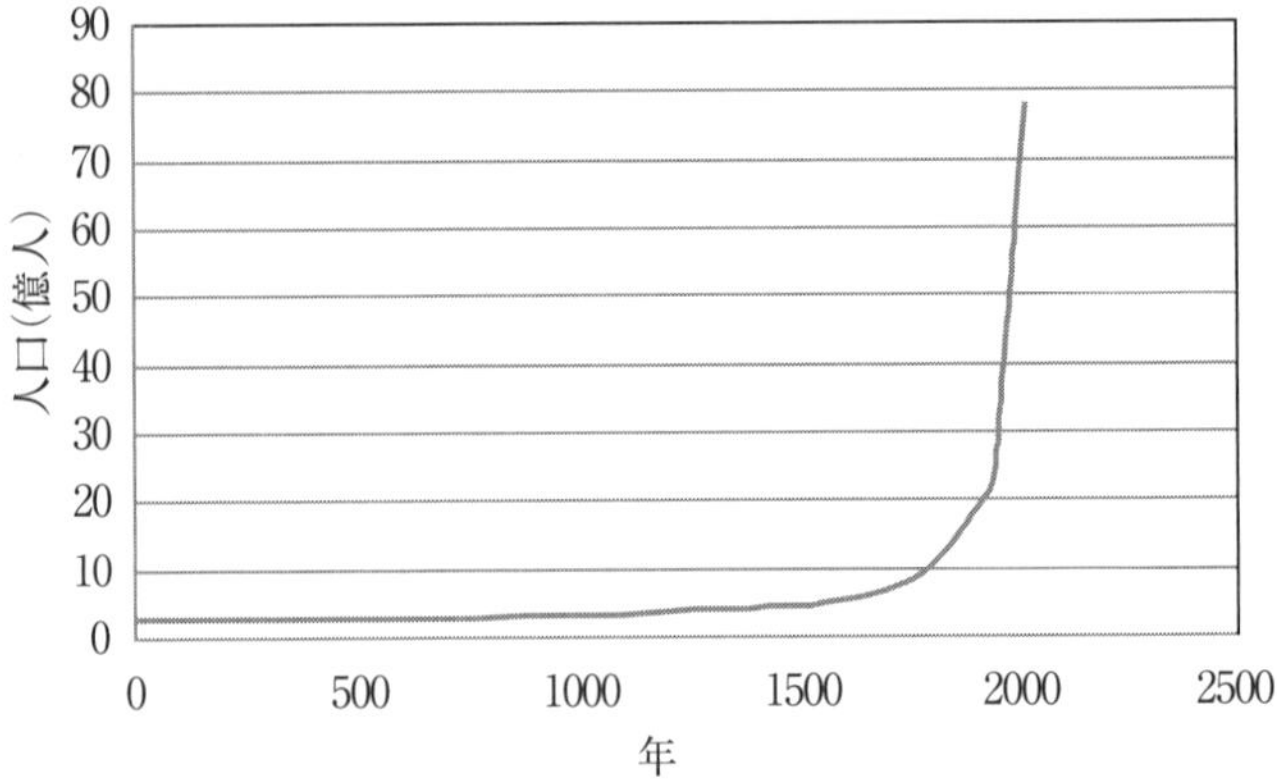

図 29　世界の人口の年度推移。20 世紀以降、世界の人口は急激に増大しており、現代で 75 億人、2050 年には 98 億人に達すると言われています。

の目標に大きな影響を与えます。地球上の人の数が増えれば、エネルギー、環境、食糧問題など、あらゆる悪影響が生じるからです。

たとえば、いま脱炭素社会が叫ばれており、二酸化炭素の排出量を抑えようとする動きがあります。ところが、人間は、呼吸によって酸素を吸い、温室効果ガスの二酸化炭素を放出しているのです。つまり人間が二酸化炭素排出源なのです。そして人間ひとりが一日で排出する二酸化炭素の量は約一kg程度とされています*。

「環境白書」によると、日本における一世帯あたりの二酸化炭素排出量は年三六〇〇kgとなっています。一方、人間ひとりが放出する二酸化炭素量は、一年で三六五kgですから、五人家族では一八二五kgとなります。つまり、呼吸するだけで、家庭での排出量の半分程度に達するのです。人口増は、二酸化炭素放出に大きな影響を与えることになります。

日本の人口は一億二〇〇〇万人ですので、日本人だけで、一日では一億二〇〇〇万kgつまり一二万トンもの二酸化炭素を排出しているのです。中国の人口は一四億人とすれば、一四〇万トンです。全世界の人口は七六億人ですから、七六〇万トンとなります。一年で二七億トンです。これは、やり玉に挙がっている全世界の二酸化炭素排出量二〇〇億トンの一〇%程度に相当します。

さらに、人が生きるためには、地球上に生息する他の生物を食材としなければなりません。当然、農産物にしても、魚肉資源にしても限界があります。将来一〇〇億を超す人間を養うことのできる資源が地球にあるかどうかも大きな課題でしょう。

また、人間が生活するためには、必ずエネルギーが必要です。地球の貴重な資源である化石燃料の消費も深刻化しています。さらに、エネルギーを使えば、多くの廃棄物も発生します。これらの諸問題の解決には、世界中の人たちが協調し、協力しながら策を講ずることが必要です。

＊注1―活発に運動しているときと、安静にしているときでは酸素消費量は異なります。あくまでもおおざっぱな見積もりであることを付記しておきます。

気候変動

SDGsの13番目に挙げられている「気候変動に具体的な対策を」という課題に関しては、国家間の足並みが揃っていない現状があります。たとえば、トランプ第45代アメリカ大統領が、二〇一七年に「パリ協定」からの脱退を宣言したときは世界にショックを与えました。[*] この協定は、各国が「温室効果ガス」の排出量の削減目標を設定し、法的拘束力のもとで目標達成に取り組む約束をしたものです。

国際交渉は、骨の折れる作業であり、各国の利害が衝突するため、なかなか合意に至るのは難しいのです。パリ協定は、フランスの巧みな戦術もあって、ようやく世界各国の合意が実現したものなのでした。[#] にもかかわらず、トランプ氏が簡単に破棄を宣言したのです。これには、多くの国から非難の声が上がったのも当然です。しかし、彼は意に介さない様子でした。

実は、アメリカでは、二酸化炭素由来の地球温暖化に懐疑的な科学者も多いのです。[☆] 彼らは、二酸化炭素の影響を無視してよいと言っているのではなく、地球温暖化の原因を二酸化炭素のみに帰することに疑問を呈しているのです。

温室効果

一般の人には、ほとんど認識されていませんが、赤外線の吸収スペクトルを見ると、最強の温室効果ガスは水なのです。電子レンジは、ある周波数の電磁波を水が吸収して回転する性質を利用して食品や飲料を加熱調理しています。二酸化炭素を使って加熱装置をつくることはできません。

さらに、地球の温度が上昇すれば、空気中の飽和水蒸気量（空気中のH_2O気体濃度）は増えますので、水蒸気量も増大します。そして、地球の表面温度に及ぼす影響は水が九〇%とさえ言われています。※この最も大きな温室効果ガスである水蒸気の影響を無視しているというのがトランプ氏を支持する科学者たちの主張です。

これに対し、「水蒸気の量は制御できないが、二酸化炭素増加は人為的に制御できる。よって、われわれは、二酸化炭素排出を抑制すべき」というのが、反トランプ派の主張です。この主張も

＊注―バイデン第46代大統領は、二〇二一年の就任直後に「パリ協定」への復帰を宣言しています。

#注―環境問題は、国家間の交渉ではなく、地球市民という観点からグローバルに議論すべきものです。国家の利益が衝突する政治問題では、建設的な解決策はえられにくいのではないでしょうか。

☆注―アメリカだけでなく、日本にも科学的検証が必要と唱える研究者はいます。たとえば、赤祖父俊一『正しく知る地球温暖化』（誠文堂新光社）などが参考になります。

※注―もちろん、いろいろな説があります。ただし、水のほうが二酸化炭素より、はるかに温室効果が高いという点では一致しています。

理解できます。

ところで、みなさんは「放射冷却（radiative cooling）」という言葉を聞いたことがあるでしょうか。高温物体が熱を放射して冷える現象ですが、気象の分野では、晴れた日の夜に地表が急激に冷えることを指します。一方、曇りの日には、雲（細かな水滴の集合体）が地面から放射された赤外線を反射するので冷えにくいとされています。ここで不思議に思いませんか。空気中には温室効果ガスの二酸化炭素があるのです。しかし、その存在には関係なく、晴れた日には熱は逃げていきます。水からできた雲が、放射冷却を防いでいるのです。

すでに紹介したように、私たち人間は多体からなる世界に住んでいます。そこで生じる多体問題では、計算によって厳密解を得ることは不可能です。よって地球温暖化の原因が二酸化炭素であると単純化することはできません。* まさに、「クリティカルシンキング力」が試される問題なのです。

地球の温度

クリティカルシンキングの手法では、信頼できる根拠をもとに、まず現状を分析することが重要です。「そもそも地球は温暖化しているのか」「その犯人が二酸化炭素と特定できているのか」このことを吟味する必要があります。ただし、これらの問いに明確な答えを出すことは、現代科学では限界があります。複雑な多体問題であるからです。ここでは、できるだけ論理的なアプローチで検討してみましょう。

地球は太陽系の一惑星であり、地球上のすべての生命体は太陽の恩恵によって、その命を永らえているのでしたね。地球には、太陽光というエネルギーが注がれます。このおかげで生命体が生存することができる温度範囲を保つことができるのです。しかし、太陽光が注ぎ続けるだけでは、地球の温度は上昇し、灼熱地獄になってしまいます。地球は宇宙に熱を放射して逃がしているのです。つまり

地球の温度＝太陽から注がれる熱－宇宙に逃げていく熱

という式で、地球の温度は決まっていることになります（図30）。

この式をみると、地球の温度が一定の範囲に保たれていることは、とても不思議です。太陽活動は常に変化していますから、入熱も変化します。# さらに、宇宙に逃げていく熱量を制御することも私たち人類にはできません。長い年月をかけて、入熱と放熱のバランスがとれて、ある平衡

＊注－温室効果ガスとしては、二酸化炭素の他、メタン（CH_4）、亜酸化窒素（N_2O）、フロンガスなども挙げられています。

#注－太陽表面の黒点は、太陽活動のバロメータですが、一一年周期で変化しています。もっと長いスケールでは数十年にわたって黒点が減り、太陽活動が不活発となることも知られています。この影響で地球は寒冷化します。

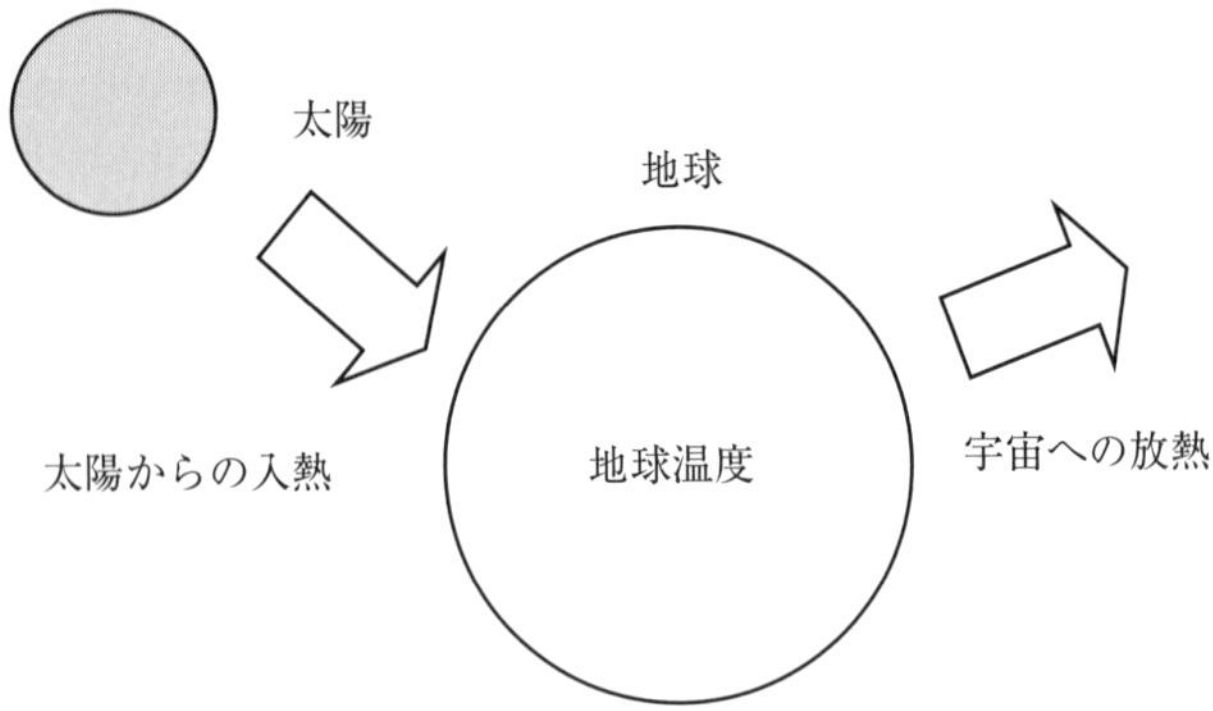

図30　地球の温度は、太陽からの入熱と宇宙への放熱によって決まります。

温度に達したと考えるしかありません。

ただし、地球の長い歴史を見れば、その温度が常に一定であったわけでもありません。温暖な時期もあれば、氷河期と呼ばれる時期もありました。縄文時代には地球は温暖であり、現在の青森県においても平均気温が2—3℃高く、海岸線もいまの海抜5ｍぐらいのところにあったといわれています。このおかげで青森においても豊かな海や山の食材に恵まれ、縄文人が集団生活をしていました。それが三内丸山遺跡です。いまから五〇〇〇年ほど前のことです。しかし、四二〇〇年前ぐらいから、地球の寒冷化が急に進み、この地でだんだん人間は生活できなくなり、集落も衰退したと言われています。

宇宙への放熱を妨げる機構

ここで、いま問題とされている地球温暖化を、先ほどの地球温度の基本式に戻って考えてみましょう。温暖化しているということは、太陽からの入熱が一定*と仮定すると、宇宙に逃げていくはずの熱が、なんらかの原因で地球に留まっていることを意味します。そして、その主原因が二酸化炭素とされているのです。それでは、どのような機構で二酸化炭素は熱を蓄えることができるのでしょうか。二酸化炭素は、電磁波である赤外線を吸収して振動します。しかし、ずっと振動しているわけではなく、すぐに赤外線を放出します。この繰り返しです。よって、「二酸化炭素が熱を蓄えている」という表現は正しくありません。

ここで、一般に言われているのは、二酸化炭素がなければ、そのまま宇宙に逃げていく熱（赤外線）を、二酸化炭素がいったん吸収するということです。この熱を二酸化炭素は赤外線として放出しますが、その方向には、地表面に戻す方向のものもあります。この結果、温暖化が進むという説明です。どうでしょうか。納得できますか。世界中の人は、この説明で二酸化炭素が温室効果ガスと信じているのです。

大気中の気体分子は運動しています。室温では、二酸化炭素気体分子の速度は秒速３００ｍです。ほぼ音速に近いスピードです。しかも、回転運動もしていますので、放射される赤外線は、全方向に向けられます。地表面に戻る赤外線は、ごく一部でしかないのです。

＊注―もちろん、太陽活動の変化など、太陽からの入熱は常に変化しています。一定というのは、あくまで仮定です。むしろ、入熱変化が地球温度に大きな影響を与えます。

さらに、地球の二酸化炭素濃度は三〇〇—四〇〇ｐｐｍ*と言われています。これは、〇・〇三—〇・〇四％です。地球温暖化の原因とされる二酸化炭素の増加分は〇・〇〇五％に過ぎません。これだけの濃度上昇で、宇宙に逃げる熱が地球に戻されているのでしょうか。それならば、どうして晴れた日に放射冷却が起こるのでしょうか。

トランスサイエンス

科学に問うことはできるが、科学では答えることができない問題を「トランスサイエンス(trans-science)」と呼びます。しかし、私たちのまわりで起こっていることは、環境問題も含めてすべて多体問題であり、計算不能なのですから、あえて言えば、ほぼすべての現象がトランスサイエンスということになります。ただし、厳密解がないからと言って、人はそこであきらめることはしません。人間には柔軟性があり、解がない問題にも果敢に挑戦します。

すでに見たように、二酸化炭素が地球温暖化の主犯であると単純化することには少し無理があります。ただし、地球環境に及ぼす人為的な影響が二十世紀に入って急拡大しているのも事実です。よって、人為による異常が地球環境に及ぼす影響を地球規模で検証することは重要です。

さらに、私たち人類は「地球」で実験をしてはいけないということも認識すべきです。なぜなら実験に失敗し、対処が手遅れと気づいたときには、人類は滅亡するしかないからです。

また、二酸化炭素排出は、地球にとって貴重な石油や石炭などの化石燃料消費を反映しています。よって人為的な二酸化炭素排出を極力減らすべきという結論に変わりはありません。この認識は大切です。

たとえ二酸化炭素が温暖化の主犯でないとしても、それを放出しても構わないという結論には決してならないのです。いずれにしろ、地球環境は複雑でまさに多体問題の宝庫、トランスサイエンスの領域です。だからこそ、人類は知恵を出して、科学的考察に基づき、何をすべきかを議論する必要があります。繰り返しになりますが、政治問題にしてはいけないのです。

エネルギー問題#

SDGsの7番目に、「エネルギーをみんなに、そしてクリーンに」があります。人類の文明社会は、化石燃料である石油や石炭を燃やすことで得られるエネルギーを利用することで発展してきました。しかし、これらの資源には限界があります。よって化石燃料以外のエネルギー源を求める必要があります。この節では、エネルギーについて考えてみます。

＊注―単位のｐｐｍは part per million の略で一〇〇万分の一のことです。％は percent で一〇〇分の一となります。

#注―エネルギー問題に関しては、資源エネルギー庁のウェッブサイトにわかりやすい解説があるので参照してください。

化石燃料

「エネルギー危機」が叫ばれて久しいです。私たちは、石油や石炭などの化石燃料を使って、発電や空調などに利用しています。火力発電は、石油や石炭などの化石燃料を燃やして、水蒸気の力を利用して発電しています。蒸気機関車の動力と同じ原理です。しかし、これらの化石燃料は、いずれ枯渇してしまいますし、温室効果ガスを排出することも問題となっています。よって、将来は他のエネルギー源に頼ることが必要です。

水力発電

水力発電は、高所から流れる水を堰き止めて、水の高度差つまりポテンシャルエネルギーを利用して発電するものです。太陽エネルギーによって、低地の水が蒸発して空に昇り、それが凝集し、雨となって大地に降り注ぎます。よって、太陽がある限りエネルギー源は無尽なのです。温室効果ガスも排出しませんので、頼りになるエネルギー源と言えます。

しかし、水を堰き止めるためのダムは、人工構造物です。このため、大雨で水量が増すと、倒壊の危険に曝されます。さらに、水量も自然の天候にお任せであり、自分たちでコントロールできません。そして川には水とともに土砂も流れ込むため、ダムの底に土砂が堆積し、浚渫（しゅんせつ）しない限り、いずれはダムを埋めてしまうことになります。残念ながら、究極のエネルギー源とはなりえないのです。ただし、川の流れを利用して水車を回すマイクロ水力発電は、分散型電源としては魅力があります。

原子力発電

ここで、救世主として登場したのが原子力発電です。U^{235}（ウラン235：ウランU^{238}の同位体）を原料として、核分裂反応で生成する熱を利用して発電します。非常に効率のよい発電方式であり、二酸化炭素を発生しないという大きな利点もあります。また、反応生成物のプルトニウムが、発電燃料として再利用できる可能性があったため、「夢の発電技術」としても期待を集めました。

しかし、この発電は原子核の核分裂を利用しており、発生する中性子によって、他の原子核の分裂を誘引し、放射化させてしまいます。つまり、多量の放射能を生成するのです。この放射性物質は、人間にとって、とても危険な存在です。原発事故の深刻さは、スリーマイルアイランド、チェルノブイリ、福島事故などで、人類は思い知らされてきたのではないでしょうか。

しかも、元素が有する放射能は、種類によっては、一〇万年以上も保持されるのです。人類の歴史よりも長い期間、危険な放射線を出し続けるのです。よって、どこか安全な場所に保管する必要がありますが、だれも、そんな危険なものを自分のそばには置きたくないでしょう。残念ながら、放射性廃棄物の引き取り手は見つかっていません。「核のゴミ」問題は深刻なのです。

再生可能エネルギー

地球の持続発展に寄与する再生可能エネルギーとして、太陽光発電や風力発電が注目されています。ただし、発電容量が天候に左右されるため、電力系統に対する負荷が問題となります。結局、足りない電気は他の発電源による電力でまかなうしかなく、余計な負荷を強いているのです。また、風力発電は、風が強いほど発電能力は増しますが、風が強すぎると破壊されてしまいます。したがって、台風やサイクロンの通り道に設置することはできません。太陽光発電は、日中しか発電できないという欠点もあります。

よって、これら再生可能エネルギーは、何らかの「蓄電装置」と組み合わせて利用するのが望ましいと考えられます。現在のところ、蓄電装置として利用されているのは、電池とコンデンサおよびフライホイール (flywheel) などです。

ただし、再生可能エネルギーという用語は誤解を与えます。世の中に再生可能なエネルギーなどないからです。これらエネルギー源の元は、水力発電と同じように太陽エネルギーであり、それを利用しているに過ぎません。さらに、環境負荷が少ないと喧伝されていますが、太陽光パネルにせよ、風力発電機にせよ寿命があります。その廃棄に莫大なお金もかかります。公的補助によって、これらの発電は成り立っていますから、廃棄に伴うコスト負担をだれが担うのかも大きな課題です。それを明確にしていないと、そのまま放置されて環境破壊につながります。

よって、人類には多様なエネルギー源を利用し、それを節約しながら、うまく利用する知恵が求められます。また、危機管理の観点からも、多様なエネルギー源の確保は重要です。

私の実家は岩手県にあり、東日本大震災で被災しましたが、停電にも見舞われましたが、旧式の石油ストーブのおかげで助かったと聞いています。石油とマッチさえあれば、暖をとることもでき、お湯を沸かすこともできるので調理もできます。石油ファンヒーターは停電時には使えません。また、被災地においては簡易ガスボンベも便利であったと聞きます。

注目される電池

一般に電気を貯めることはできないと言われています。電気は「電磁誘導」という現象を利用してつくられます。

電磁誘導とは、電気を通す導体（銅やアルミなどの金属）のまわりで磁石が回転（磁場が変動）したときに電流が誘導される現象です。つまり、磁石を回転し続けないと、発電できないのです。水力発電では、水の高低差を利用して磁石を回転させ電気をつくります。火力発電や原子力発電では、石油燃焼と核分裂反応で発生する熱を利用して、水を蒸気に変えて磁石を回転させ電気をつくっています。このように、磁石の回転が止まれば電気の供給も止まってしまうのです。

これが、電気を貯めることができない理由です。

大型化する電池

一方、私たちは、「電池」を使って電動機器を動かせることも知っています。ただし、通常の電池は容量が小さすぎて、ラジオや時計などの小型機器は動かせますが、エネルギー源や動力源にはなりえないというのがこれまでの常識でした。

ところが、電池の容量は、技術革新によって飛躍的に改善され、電力貯蔵用のNaS電池や、自動車用動力にも利用されるLi（リチウム）電池、燃料電池が開発されています。これは科学の進歩のおかげです。

電池は、基本的には+極と−極を分離しておき、両極をつなげれば電流が流れるという仕組みで、電気をつくります。+と−には引力が働きますので、これらが分離された状態は不安定なのです。その証拠に、リチウム電池を搭載したスマートフォンが発火する事故が世界各所で発生しています。

自動車を長時間動かせる容量の電池では、この危険を回避する技術、すなわち「絶縁」技術が必須となっています。この技術は決して簡単ではありません。材料開発も必要となります。また、電池には動作に最適な温度範囲があり10℃から35℃までと言われています。寒くても暑くても機能は落ちてしまいます。寒冷地や熱帯では使えないということになります。「電気自動車」が使える地域も限定されます。

大容量電池を搭載した自動車が開発された経緯は、電気自動車が、排気ガスを放出しないためです。メキシコ、中国などでも自動車による大気汚染被害の深刻さはニュースなどで報道されています。

電池の寿命

電池にも多くの課題があります。まず、すべての機器がそうであるように、電池にも寿命があるということです。電池には「一次電池」と「二次電池」の二種類があります。一次電池は、充電のできない使い捨てタイプであり、かつてはこの種の電池が主流でした。二次電池とは、繰り返し充放電ができるもので、電力用の電池は、このタイプです。ただし、すべての二次電池は、充放電を繰り返すと劣化していき、やがて使えなくなります。この事実を忘れてはいけません。携帯電話の電池で経験ずみでしょう。そして時間とともに性能が落ちていきます。

電池を長持ちさせるためには、充電時間を長くし、充電する容量も下げる必要があります。もちろん、寿命のきた電池を再利用するという考えもあります。多くの企業は、それを宣伝してもいます。しかし、「熱力学」によれば、それをもとに戻すには、新品をつくる以上のエネルギーが必要となることが知られています。

これは第1章で紹介した「エントロピー増大則」です。電池を使えば、エントロピーが増大します。それを使える状態に戻すには、このエントロピーを下げる必要がありますが、どんな操作でも、トータルのエントロピーは増大します。よって、使用済みの電池をもとの使える状態に戻すためには、新品をつくるより余分なエネルギーが必要となるのです。*

廃棄問題

かつて米国のカリフォルニア州において、使用済み自動車用電池（鉛電池）の不法投棄による環境汚染が深刻化し、自動車での電池使用を禁止する法案が通りそうになったことがあります。このとき円盤を高速回転させてエネルギーを貯蔵するフライホイールの開発が本格化しました。私も、その開発を打診されたので、よく記憶しています。残念ながら、車載用フライホイール開発が困難ということが分かり、この法案は日の目を見ませんでした。

そのカリフォルニア州が、排気ガスゼロを謳い、電池利用を進める「ゼロエミッション車：ZEV（zero emission vehicle）規制」の導入を積極的に進めているのですから隔世の感があります。すなわち、州内で一定台数自動車を販売するメーカーは、販売数の一定以上を電気自動車や燃料電池車など排気ガスを出さないゼロエミッション車にするよう、規制しようとしているのです。

電力の供給源

さらに、自動車用電池に貯める電力をどのように供給するかも課題です。火力発電では二酸化炭素を排出します。原子力発電では核廃棄物を排出します。日本では、石油や液化天然ガスに頼って発電していますので、電気自動車が二酸化炭素を出さなくとも、電気の供給元の火力発電所においては二酸化炭素を放出しているので意味がないのです。

さらに、発電効率の問題もあります。たとえば、火力発電の効率は四〇%程度です。発電時に石油の半分以上を無駄にしているのです。この事実を忘れてはいけません。

カリフォルニア州では、「再生可能エネルギー」を利用した充電を義務づけています。これならば、確かに見た目ではゼロエミッションとなります。ただし発電設備は決して、再生可能ではありません。いずれにしても、今後、大量に発生する使用済み電池を、いかに処理するかは大きな課題となるでしょう。

電気自動車

欧米では、クリーンエネルギーという観点から電気自動車にシフトしていますが、災害時の対応に課題があります。さらに、環境を破壊する巨大電池を積んでいます。

それならば、ガソリンと電池のハイブリッド車が、安心という観点ですぐれています。いまのガソリン車も、小型ながらも電池を積んでいますので、実際は、ハイブリッド車なのです。繰り

＊注－もちろん、再利用可能な部品などがあれば、それを製造するコストは抑えられるので、リサイクルコストが下げられる利点があります。いずれ、江戸時代のように、再利用を意図した初期設計が重要となります。

返しになりますが、ひとつのエネルギー源に頼っていたのでは、なにかあったときに融通が利きません。このことを肝に銘じておくべきでしょう。

科学技術は地球を救えるか

以上見てきたように、環境やエネルギーに関わる科学技術には、これが決定打というものはなく、それぞれ利点や欠点があります。したがって、多様な技術をうまく組み合わせて、互いの長所を生かすような工夫が求められます。さらに、すべての機器には寿命があります。「使えなくなったときの処理をどうするか」ということを念頭に置いた技術開発が必要です。

また、効率という観点では、巨大発電所の建設は有効ですが、太陽電池の分散設置やマイクロ水力発電などの電源の多様化も重要です。電力ケーブルのないアフリカの砂漠では、太陽電池で電源をまかない、衛星通信によりインターネットに繋げているところもあります。

ここで、超伝導研究者が提案しているアイデアを紹介します。多くの大陸では、「砂漠化」が進んでおり、とても深刻な問題となっています。しかし、視点を変えれば、太陽光発電にとって砂漠は格好の場所なのです。そこで、砂漠に巨大な太陽光発電所を設置します。図31に示すように、サハラ砂漠の四分の一を太陽電池で埋めれば、地球の全電力がまかなえるという試算があります。

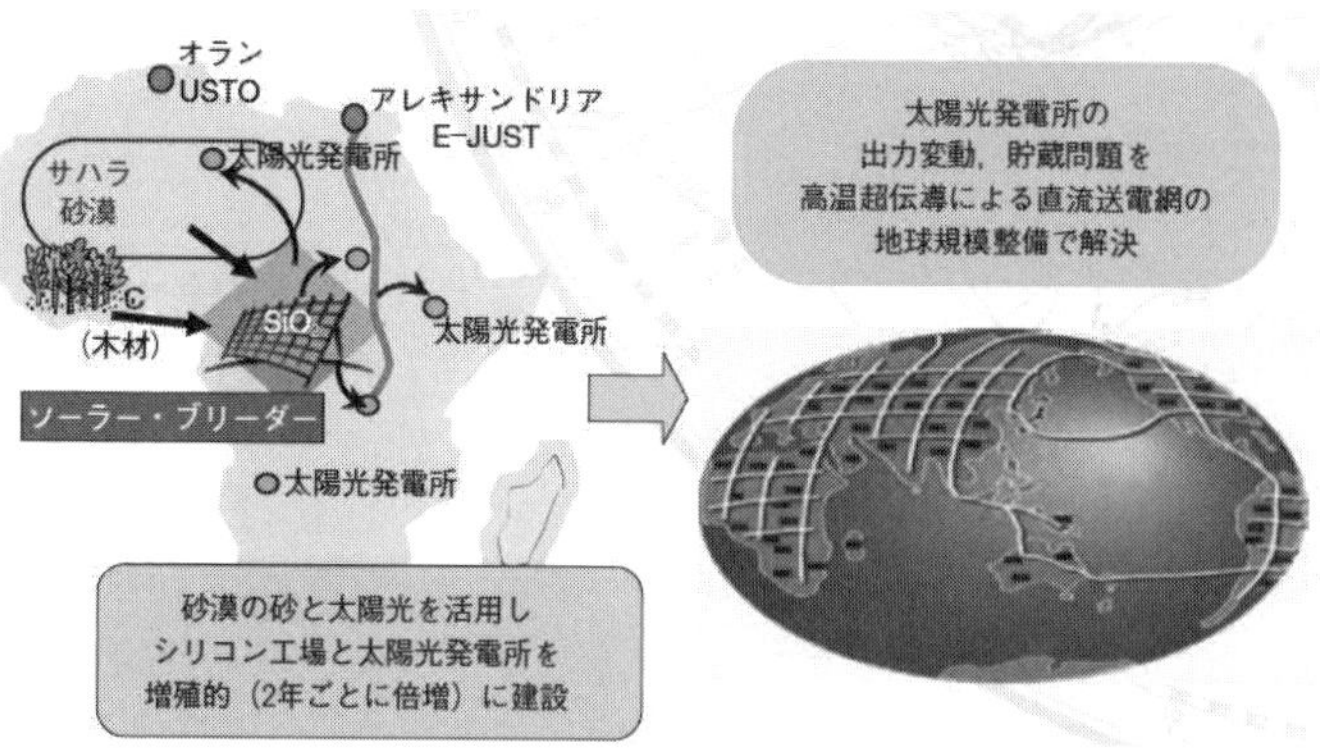

図 31　G8+5 学術アカデミーローマ会議における日本学術会議の提案(2009 年)。サハラ砂漠に太陽光発電所を設置し、超伝導送電により地球各国に電力を輸送すればエネルギー問題は解決できるという提案です。

また、太陽電池の材料であるシリコンは、砂漠の砂から取り出すことができます。つまり、太陽電池を製造する工場も一緒に設置し、その動源は、太陽電池でまかなうというアイデアです。

ここでの問題は、どうやって送電するかです。長距離送電ではロスが生じ、せっかくつくった電気を運ぶのに問題が生じます。そこで、電気抵抗がゼロの「超伝導ケーブル」を使うというアイデアが出されました。これならば送電ロスはないので、世界中に電気を送ることができます。これが実現すれば、地球の電力エネルギー問題は一気に解決できることになります。

教育の重要性

人口増加問題や、貧困や不平等問題など「持続可能な開発目標」が掲げている問題は、教育によって克服できるものが多いのです。これは、世界共通です。日本は教育立国であり、貧しい家に生まれても、教育を受けることによって功を成してきた人がたくさんいます。

"Education is the most powerful weapon you can use to change the world."
「教育こそが地球を変えることのできるもっとも強力な武器である」

これは、南アフリカの大統領であったネルソン・マンデラの言葉ですが、教育の充実こそが、SDGs達成のための王道なのです。実は、SDGsが掲げる課題に関しては、貧富の差が原因となっているものが多いのです。

たとえば、アメリカはいまだに世界一の大金持ち国です。しかし、第4章で見たように、アメリカでは、トップ一〇%がアメリカ全資産の九〇%を保有しています。つまり、国は富んでいても多くの国民が貧困にあえいでいるのです。「アメリカンドリーム」と言えば聞こえはいいですが、過度の「マネーゲーム」が不平等を生み出しています。一〇〇億円の年収を稼ぐCEOが、何千人という従業員のクビを切って平然としているのですから、貧富の差が拡大するのはうなずけます。

勝ち負けの確率が等しいゲームでは、勝ったり負けたりで大した差は生じないように直観では思えますが、実際には、差がどんどん拡がっていくことが知られています。結果として、大勝ちする人と大負けする人に分かれてしまうのです。

現実の世界においても、何も策を講じなければ貧富の差は、どんどん拡がっていきます。これを「マタイ効果」と呼ぶこともあります。ロバート・キング・マートンが、「マタイ福音書」の一節、「持っている人はさらに与えられて豊かになるが、持っていない人は持っているものまでも取り上げられる」を引用し、同一の研究に対し、有名な科学者は無名な科学者よりも事実上、たくさんの補償を受け取る現実を説明したのです。これと同じことが、経済の貧富の格差でも起こるのです。

これを止めることができるのは教育なのです。つまり、SDGsの4番目に掲げられている「質の高い教育をみんなに」こそが最重要課題と言えるのではないでしょうか。

第12章　グローバル

いま、多くの国で様々な形で「ポピュリズム（populism）」や「国粋主義（nationalism）」が台頭しています。大衆の意識をとらえ、大衆に迎合する形で主導権を握る、そのためマスコミや進歩的知識人に対する批判を強め、エリート主義の官僚に対する批判を強める、あるいは自国の利害を徹底した形で推進しようとして過激な排外主義を唱え、自国を守るための政策を推進しています。アメリカ、イギリス、イタリア、ブラジル、スペインなどがそうです。

急速に進行した世界のグローバル化に対する「反動である」という声もあります。ところで、ここで言うところのグローバル化とはいったいどういう意味なのでしょうか。そもそも国際化と何が違うのでしょうか。

「グローバル（global）」の元となっている単語はglobeであり、「地球」という意味です。よってグローバルには、もともと「国家（nation）」という概念はないのです。つまり「地球を一体のものと考える」、これがグローバルな発想です。一方、「国際化」では、国家という単語ないし概念が含まれていて、国家間の関係（inter-）を意識したのが「国際化」になります。

よって、グローバルはあえて言えば、「世界はひとつ」という考えであり、日本人である前に地球人であるという考えに基づいたものと考えられます。国際化は国を基本に据えた国どうしの関係となります。

グローバル問題

コロナ対策

たとえば、コロナウイルス感染症への対応はグローバルな視点で進めなければなりません。ウイルス感染に国境はないからです。よって、国家間の協力が欠かせないのです。もちろん、「ロックダウン」によって、ある地域にウイルスを封じ込めるという作戦をとることはできます。国家封鎖も可能です。しかし人の移動を完全に止めない限り、この作戦はうまくいきません。そして、どこかに必ず漏れが生じます。

最も有効な手段は「ワクチン開発」と考えられますが、いざ摂取の段階になると国際協調よりは、むしろ国粋主義が台頭しています。

環境汚染

「大気汚染」などの環境問題も、グローバルな視点で対応しなければならない課題です。空気には国境などないからです。ある国が排気ガス抑制のため（見かけはクリーンな）電気自動車の導入を進めたとしても、隣国が、旧型のガソリン自動車やディーゼル自動車を放置して、あたりかまわず排気ガスを放出していたのでは、大気汚染は進みます。

そういえば、日本の春先には、よく中国から黄砂が飛んできます。朝起きたら、車が黄色く覆われていることもありました。空には国境がないので、春先の強風にあおられて黄砂が海を越えてやってくるのです。しかも、その大きさは〇・一－一〇ミクロン*程度であり、それに乗って微生物やウイルスが四〇〇〇kmのかなたから日本まで運ばれてくることが分かっています。微生物の大きさは数ミクロン、ウイルスの大きさはその一〇〇分の一なので、黄砂は微生物にとってはボート、ウイルスにとっては客船程度の大きさなのです。そして、そのほかの有害物質も黄砂に乗って飛んできます。まさにグローバル、かつやっかいな問題です。

海洋資源

海の資源もグローバルな視点で捉えるべき課題です。もちろん、「排他的経済水域：EEZ（Exclusive Economic Zone）」という概念はあります。海洋法に関する国際連合条約に基づいて、海洋資源やエネルギーに関する主権を主張できる海域のことです。しかし、海はつながっています。陸地の国境と違って、明確な境界はありません。だから紛争が絶えないのです。また、排他的経済水域を厳格に守ったとしても、魚介類にとっては境界など存在しません。この海域から外れたところで、海洋資源を他国が乱獲すれば、それまでのような漁ができなくなります。

残念ながら、環境問題や天然資源に対する取り組みや考えは国家間で異なっておりグローバルな対応とはなっていません。エネルギー問題や人口爆発問題なども、国単独の課題ではなく、地球レベルで考える必要があります。よって、第11章で紹介したSDGsの17の目標についても、まさにグロールな対応が必要となってくるのです。しかし、残念ながら、いまの世界はグローバル主義ではなく、「自国第一主義」が前面に出てきています。

経済

経済はまさにグローバルな存在です。自動車にしても、パソコンや携帯電話や電化製品にしても、多くの製品がグローバル市場で販売されています。いまではインターネットで海外製品を簡単に取り寄せることができるようになっています。つまり、一国の中だけで留まる経済政策はないということです。ところが、報道を見聞きする限り、グローバルな視点での発想はありませんし、政策も国内向けがほとんどです。これからは日本政府の金融政策も、世界を視野に入れた対応が必要となっています。

＊注ー ミクロンは正式には㎛（マイクロメータ）で、一ｍの一〇〇万分の一、あるいは一㎜の一〇〇〇分の一です。髪の毛の太さは七〇ー一五〇㎛、杉花粉の大きさは三〇㎛程度です。PM2.5は大きさが二・五㎛程度の微小物質のことです。

アメリカ自国主義

アメリカでは、多くの白人中間層が経済的な苦戦を強いられており、本来、アメリカが享受すべき利益を外国が収奪しているという非難が起こっています。二〇一七年に第45代アメリカ大統領に就任したトランプ氏は、アメリカファースト、すなわちアメリカ人の雇用創出を最優先課題として移民排斥も唱えて、多くの国民の支持を得ました。

アメリカは経済大国

アメリカ経済は逼迫しているのでしょうか。そんなことはありません。いまだにアメリカのGDPは世界一なのです。それでは、何が問題かというと貧富の格差なのです。世界の資産をみると、驚くことに、たった八人の大富豪が、世界人口の下位五〇％の総資産に相当する財を持っているのです。その八人は全員がアメリカ人です。

資産という観点では、アメリカは世界トップの四三〇〇兆円であり、イギリス、フランス、ドイツ、日本をあわせた二八〇〇兆円をはるかに上まわっています。世界中の富がアメリカに集中しているのです。問題は、それが国民全体に浸透していないことです。なにしろ、アメリカでは、トップ一〇％の資産が九〇％の国民の総資産と同じなのですから。

貧富の格差

アメリカの経営者たちは、驚くほど巨額の報酬を受け取っています。にもかかわらず、平気で従業員を解雇します。むしろ、リストラできる経営者が立派な人とみなされることもあります。*

二〇億円の報酬を得ているCEOが、四〇〇人の従業員をクビにしたとします。# CEOの報酬は従業員一人当たり五〇〇万円もの給与の総額に相当します。経済を考えるならば、CEOをクビにして雇用を守ったほうがはるかに有利でしょう。四〇〇人のほうが、日々の消費を通して経済を回せるからです。

これが道理ですが、実際には、そうなりません。なぜでしょうか。これは、株主からすれば、従業員のクビを切って、一時でも会社の業績が上がれば、それでよいのです。その会社が将来つぶれようが関係ありません。後は、株を売り抜ければよいだけです。最近、株式を公開しない会社が増えてきました。従業員のことを考えれば、株主の儲け主義に左右されないほうが、下手に市場から資金を調達するよりもよいという判断でしょう。

会社やその従業員の利益に興味のない経営者は、株主と自分の利益を考え、会社の財産を切り

＊注—温情や感情に流されずに、冷徹に企業の将来を守れる人という評価でしょうか。しかし、多くの場合は、企業の未来は失われています。
#注—アメリカの大企業でのCEO平均報酬額は年一七億円と言われています。ただし、企業の株券などを報酬として受け取っているケースもあります。

売りすることも平気です。企業の基幹部門を売れば、一時的に企業は潤い、見た目の業績は飾れるからです。このCEOは、この業績を引っ提げて、別の企業に移動します。しかし、残された会社は衰退する運命にあり、多くの従業員は路頭に迷うことになります。

まさに「一将功成りて万骨枯る」です。

日本の企業

第4章でも紹介しましたが、日本は世界でまれにみる長寿命企業が多い国です。一〇〇年以上続いている企業はなんと三万三〇〇〇社を超えます。二〇〇年以上続いている企業も一三〇〇社もあり、全世界の六五%を占めています。なぜ日本の企業は長寿命なのでしょうか。

それは、経営者が急拡大を望まず、従業員と顧客を大切にし、なにより信用を大切にしているからです。金儲けだけが目的ではないのです。経営者の報酬も高くありません。苦境に陥ったときには、従業員とともに耐えます。

それではグローバル企業になれないと言う人もいるでしょう。ところが、寿命の長い企業の多くは、グローバル市場にもうまく適応しています。たとえば、医療分野でニッチな部品を製造する中小企業は、国際特許も取得し、海外の企業とも堂々と渡り合っています。* グローバルに対応するために、会社規模を大きくする必要はないのです。従業員の数が増えれば、目の届かないこともたくさん出てきて、コントロールが利かなくなります。世界の情勢に目を配りながら、地道に自分たちの得意分野を世の進歩に呼応させていく、そんな企業が日本には多いのではないでしょうか。それが、長寿命につながっています。

私はいつも疑問に思います。果たして世界有数の資産家になって、人は幸せなのだろうかと。金で人の心が豊かになることは決してありません。物欲には限りがないからです。

日本の多くの経営者は、贅（ぜい）はせずとも、日々の生活ができ、信頼する仲間と一緒に仕事をすることを選びます。それが心を豊かにし、人生をも豊かにします。日本の経営者の多くは、人としてあるべき姿を希求しているのです。もちろん日本においても、アメリカ型の経営者のように、巨額の報酬を受け取る者も出てきています。

いま世界は、経済も教育も文化もスポーツも急速にグローバル化しています。インターネットの普及がそれを加速させており、これを止めることはできません。ここで、注意すべき点があります。それは、いろいろな国で問題になっている「グローバリズム」への反動と言う時に使われているグローバルは、真のグローバルとは異なるということです。

人口減に悩む先進国が安価な労働力として、海外からの移民を受け入れてきました。これをグ

＊注―『経営者の挑戦が未来を拓く』（日刊工業新聞社）に、世界に羽ばたく日本の中小企業のことが紹介されています。三鷹光器株式会社が、カールツァイス社との特許訴訟に勝訴したことも紹介されています。

ローバリズムと呼んでいるのです。そして、景気が悪くなると、自分たちの仕事が移民に奪われたと非難しているのです。しかし、これは本来のグローバル化ではありません。

多様性の受容

私たちが進めるべきグローバル化は、対等の位置に立ち、相手の立場を思いやることが大切です。そしてともに成長するという考えも必要です。さらに国籍、文化、歴史、習慣などの違い、すなわち多様性を尊重し、それを受け入れることが重要です。

とは言え、圧政に苦しんだり、経済破綻した国に住んでいる人にとって、そんな余裕はありません。逃げるように他国に移住するしか生きる道はないのです。経済破綻した中南米の国から、大量の難民がアメリカに向けて移動しているというニュースが流れました。メキシコも素通りして、アメリカに向かっています。これを阻止しようとしたアメリカに世界各国から非難の声が集まりました。しかし、アメリカにも昔のような余裕はありません。責められる謂われはないのです。

一九七二年から一九七三年にかけて、私はアメリカの高校に一年間AFS（American Field Service）制度*を利用して留学しました。カリフォルニア州のサンフランシスコ近郊の街です。当時のアメリカはとても裕福でした。中流家庭であっても、プールつきの豪邸に住み、家族全員が自分の車を持っていたのです。高校生が自家用車で学校に通うというのが当たり前でした。なにしろ、高校一年生の授業に「車の運転」があって、ほとんどの高校生が入学後すぐに免許をとっていました。

国民も、世界一の金持ち国の繁栄を享受していたのです。このため、当時のアメリカは移民に対しても大変おおらかでした。メキシコとの国境に立派なアパートが建っているので、友人に聞いたら移民のための施設というのです。中南米からの不法移民が住んでいて、ロスに出稼ぎをしているというのです。別名どろぼう村と呼ばれ、都会から金品を盗んでくるものもいるというのです。驚きました。

さらに、不法移民であっても、子供がアメリカで誕生すれば、国籍が取得できるというのも驚きでした。カリフォルニア州南部の学校では、英語ができない子が多いので、スペイン語で教えているということにも驚きました。

こんな手厚い待遇が受けられるのならば、多くの移民がアメリカに殺到するはずです。しかし貧富の格差の増大で、いまでは、アメリカ国民の暮らしが苦しくなっています。当然、移民に対

＊注―高校生の交換留学制度として一九四七年に発足した世界で最も歴史が古いものです。AFSは、ボランティアによって支えられている非営利組織です。

#注―カリフォルニア州では、中学は2学年しかなく、高校は4学年制でした。高校一年生の freshman は、日本で言えば中学3年生です。

する目も厳しくなっているのです。

「多様性の受容（Diversity and Inclusion）」を口にするのは簡単ですが、それを実行するのは簡単ではありません。国どうしの関係を見た場合、格差が大きすぎると対等な関係は築けないからです。しかし、この問題も含めて、グローバル化について私たちは真剣に考えるべきなのです。

そのためには世界に目を向けること、世界的視野からものごとを俯瞰すること、自分で世界を体験することも大切です。できるだけ若い時期に多様性の大切さを学ぶことも重要です。何よりも、教育現場において多様性の重要性を学ぶことが、とても大事なのです。

鉄は熱いうちに打て

グローバリズムはマクロな視点で対応すべき課題ですが、グローバル化には、ミクロな視点も重要です。そうした事例を紹介します。

日本にやって来たアメリカ家族

日本の小学校でのできごとです。あるクラスにアメリカから男子の転校生がやってきました。グレッグ・スミスという名前です。お父さんはアメリカの大学教授です。スミス教授は、日本の大学の招きで、一年間在外研究をすることになったのです。そこで奥さんも含めて、長女のナンシー、長男グレッグ、末っ子で次女のキムの一家五人で日本に赴任することにしたのでした。

　グレッグの肌の色や目の色は日本人とは明らかに異なります。何よりも言葉が違います。日本人生徒は興味津々ですが、なかなか話しかけられません。友達になりたくとも、声をかける機会がないのです。

　するとその反動なのか、いじめのようなものが始まったのです。だれかが、まわりとの違いを揶揄し、それを下品な言葉ではやし立てるようになりました。他の生徒も加担しだします。また面白おかしく、下手な英語で「white pig」と彼のことを呼んだりもしたのです。グレッグはとても傷つき、学校には行きたくないと言いだしました。

　彼の姉のナンシーの中学校では、担任が留学経験のある英語の先生でした。そして初日に、彼女がアメリカ出身で、なぜ日本にやってきたかを、クラスのみんなに説明してくれたのです。「彼女は一年しかこの中学校にはいれないが、海外の友人ができることは、みんなにとって素晴らしいことなので、仲良くするように」と話しました。また、自分の英語よりも、彼女の発音はきれいなので、ときどき英語を聞いたり、話したりしてごらんとも助言したのです。このように、はじめが肝心です。ちょっとした言葉や心がけで、その後の対応は大きく異なります。

　スミス教授は、グレッグとナンシーの二人の学校について、最初、どうするか悩んだようです。なぜなら二人は日本語も読めないし、話せないからです。しかし、せっかく日本に来ているのです。いい機会だということでインターナショナル・スクールではなく、普通の公立学校に通わせることにしたそうです。学校側も理解を示してくれ、下の子のキムも、幼稚園が受け入れてくれました。

姉のナンシーは、すぐにクラスの人気者になり、友達もできました。一方、弟のグレッグのほうは学校に行きたくないと拗ねています。「white pig」は、日本人小学生の発音であっても、彼にも分かる侮蔑的な英語だっただけに、相当なショックを受けたようなのです。

当時、スミス家の近所にアメリカ留学から帰ったばかりの日本人高校生マサトがいました。家族は彼に相談をすることにしたのです。

彼は、偶然、通りで見かけたスミス一家に声をかけてくれ、自分がアメリカ留学から帰ったばかりであること、またアメリカでは、多くの方にお世話になったので、その恩返しではないが、なんでも相談してほしいと言ってくれたのです。すぐにスミス一家とマサト一家は、家族どうしのつきあいとなり、ときどき食事も一緒にするようになりました。

グレッグの小学校での話を聞いたマサトは、小学校に連絡しました。そして、クラスのみんなの前で話をさせてほしいと頼んだのです。

マサトは、クラスに赴き、自分の経験談を話しました。アメリカでの経験、そこで多くの方の世話になったこと、海外に行くことがどれだけ心細いか、そのとき友人ができてうれしかったことなどを話しました。そして人種差別にもあったが、それがどんなに悲しかったか、そのときの友人の励ましがとても勇気を与えてくれたことも率直に話しました。そしてこれから日本においても国際化が進んでいくこと、世界の仲間と協力することが、どれだけ大切かということも訴えました。クラスのみんなは真剣にマサトの話に聞き入っていました。

その後、小学校でどんなことがあったかは、マサトは知りません。しかし、グレッグにも友人ができ、彼の家に友達が遊びに来たり、友人の家に誘われるようにもなったそうです。

驚くことに、三か月もたたないうちに、ナンシーもグレッグも日本語がぺらぺらになりました。二人は日本での学校生活をとてもエンジョイしている様子でした。

グローバル化推進にとって教育はとても大切です。また、小学生のころから多様性の重要性や、国際化のことを学べば、海外への対応はまったく違ったものになります。グレッグやナンシーの同級生たちは、海外の人と身近に交流することで多くのことを学んだはずです。そして、少しではあっても、多様性への垣根を取り除くことができたのではないでしょうか。

「鉄は熱いうちに打て」という諺があります。思考力も柔軟で、型にはまっていない若いうちに、いろいろなことを経験することは、とても大切なことです。まさにグローバル対応は、その典型例です。

小さな国際貢献

ここで、キムの話もしておきましょう。家族の中で、いちばん元気な女の子です。ある日、マサトが高校で授業を受けていると、高校にスミス夫人から電話がかかってきました。キムが幼稚園からの帰りに行方不明になったというのです。幼稚園にも連絡して、キムが行きなそうな場所も探したのですが、どこにもいないというのです。

高校の先生も心配して、マサトの早退を許してくれました。スミス家に行き、つぎに近所の人や幼稚園の先生にも話を聞きましたが、行方知れずです。マサトもとても心配になり、自転車でいろいろなところを回りましたが、手がかりがありません。スミス一家も、みんな心配しています。「誘拐」という言葉が頭をよぎりました。キムは活発で明るく、人目をひきます。

途方にくれてしまいましたが、とりあえず家に帰って父に相談することにしました。マサトの父は警察官です。帰って父に連絡しようと思ったのです。*ところが、家につくと玄関が開いています。そうか、今日は、父は、午後から非番だったかとマサトは思いました。

玄関を開けると、小さな靴が脱ぎ捨ててあります。もしやと思って中に入ると、なんとキムが父と遊んでいるではないですか。キムは飛び出してきて、マサトに抱きつきました。父も「マサト、ずいぶん遅かったな。キムも待ちくたびれていたぞ」とのん気なものです。胸をなでおろした瞬間です。スミス家に電話して事情を説明しました。すぐにスミス夫妻が、キムを迎えに来ました。

どうやら、キムは毎日幼稚園帰りにマサト家に寄っていたようなのです。マサト一家は両親も働いており、マサトもその弟も昼は学校ですから、普段は留守にしています。あきらめて家に帰るのですが、この日はたまたまマサトの父が非番で家にいたので中に入れたのです。マサトの父は、進駐軍の通訳もしていたので、英語が話せます。

スミス夫妻はキムを叱りましたが、とても安堵していました。そして、日本の人たちはなんと親切なのかと感謝していました。関係者がみんな親身になって動いてくれたからです。スミス一家は、アメリカに帰国後も、このエピソードを紹介しながら、日本の素晴らしさを周囲の人たちに繰り返し話していたそうです。ささやかなグローバル化への貢献です。

このように、個人レベルでの国際交流もとても重要なのです。その後、キムは高校生になったときに、日本をふたたび訪れ、旧友たちと再会したということです。そして日本の宣伝大使としてアメリカで活躍しています。

政府開発援助（ODA）

日本政府は「政府開発援助（ODA：Official Development Assistance）」というかたちで、巨額の予算を、いろいろな国のための援助や出資に使っています。たとえば、途上国へのODAという名のもと、日本は中国に三兆円もの金を援助してきています。[#] しかし、感謝されたという声をほとんど聞きません。一般の人たちの役に立っていないからです。他国も同様です。せっかくの大金が生きていないのです。

＊注―当時は、携帯電話など普及していなく、連絡は固定電話か公衆電話しかありませんでした。
#注―日本の土地や建物を裕福な中国人バイヤーが購入していると聞きます。北海道の行楽地や、古都の鎌倉、京都なども例外ではありません。

フィリピンの独裁者であったマルコス大統領は、ODAで巨万の富を築いたと言われています。そのイメルダ夫人が三〇〇〇足の靴と六〇〇〇着のドレスを所有していることが暴露されました。私の父は、そのテレビ報道を見て、日本人が苦労して納めた税金が、こんなものに使われていたのかと思うと情けないと嘆いていました。

グローバル化にとって重要なのは、まず個人レベルの交流です。信頼できる仲間が、海外にいるということは心強いですし、とてもわくわくします。さらに、友人を通して、海外の国を知ることができます。単なるマスコミ報道とは異なる側面を知ることができるのです。

これが国家間の交流になったとたん、互いの利害が交錯してしまいます。これはある意味、仕方がないことなのでしょうが、やはりグローバルな視点に立って、何が両国にとってよいことかを議論する必要があります。そして信頼できる友人が、相手国にいることは、とても重要なことなのです。

またODAについては、より戦略的かつ効果的な活用方法が必要ではないでしょうか。それは、ODAを受け取った国の役人や政治家ではなく、国民が喜ぶ使い方です。

ダイバーシティ

グローバル化社会において組織の競争力の源泉は「ダイバーシティ（diversity）」と言われて

います。世界的に活躍している企業では、ダイバーシティをとても重要視しています。日本語に訳せば、「多様性」となります。多様性には、国籍、人種、宗教、歴史、文化、身体的特徴や性別なども含まれます。

アメリカは、人種のるつぼと言われるくらい多様性にあふれた国ですが、驚くことに、多くの教育関係者がアメリカの教育現場はダイバーシティに欠けると主張しているのです。彼らの危惧は、見た目の多様性ではなく、生徒たちの考え方のことを指しているようです。アメリカ社会の思想が均質化しており、ダイナミズムが失われつつあると危惧しているのです。

それではなぜ、教育現場においてダイバーシティが重要となるのでしょうか。ナンシーが通った中学校とグレッグが通った小学校では、一年の間にグローバル化とダイバーシティが一気に進んだと先生たちは話していました。やはり教育現場で、しかも身近に海外の人がいるという環境は、とても重要なのです。

教育現場にダイバーシティが大切な理由として、一般には、以下の点が指摘されています。

（1）多様性は、教育経験を豊かにする（Diversity enriches the educational experience.）。

（2）人間は、経験や考え方が違う、自分とは異なった見方をする人たちから、より多くのことを学ぶ（We learn from those whose experiences, beliefs, and perspectives are different from our own.）。

（3）多様性は、論理的思考（クリティカルシンキング力）を育む（Diversity encourages critical thinking.）。

（4）多様性は、互いを尊重する精神を涵養し、チームワーク力を育てる（Diversity fosters mutual respect and teamwork.）。

教育現場にいる立場からすると、なるほどと、すべて実感できるものです。もちろん、これらは、いろいろな組織にも当てはまることではないでしょうか。日本という均質性の高い社会から出て、まったく異なる文化や歴史をもった海外を経験することで、多くの学生が、大いなる刺激を受けて帰ってきます。それはまさに多様性の実感であり、海外の学生や先生との交流で多くのことを学んでくるのです。

インターネット時代の到来

世界のグローバル化に欠かせないのが、インターネットの普及です。インターネットは一九九四年ごろから、本格的な導入が始まりました。特に、学問の世界では、あっという間に、その利用が拡がりました。簡単に研究成果や論文の共有ができるようになったからです。

ファクシミリの時代とは

インターネット以前は、研究者間の速報性の高い情報交換はファックスにより行われていました。ファクシミリの発明は一八四三年と古いですが、それが国際間的な情報交換に使われるようになったのは、一九八〇年代に入ってからです。一九八〇年にファックスに国際標準が導入されたことがきっかけです。航空便が当たり前だった時代にファックスが登場したときには、なんと便利な道具が誕生したのだろうと感激しました。

一九八六年、世界中の超伝導研究者を巻き込み、「高温超伝導フィーバー」が起こったとき、各国の研究者がファックスを使って論文のやりとりを行ったのです。研究の世界では、最初の発見や発明には栄誉が与えられますが、二番手にはなんの評価も与えられません。このため自分の優先権を主張するため、何か新しい発見があったときにはファックスで世界中の研究者にデータを示し、自分が最初の発明者だと主張するのです。ただし、ファックス通信にはお金がかかったため、裕福な国の研究者しか自由に使えないという課題もありました。

インターネットの登場で状況は一変

インターネットの登場は、状況を一変させました。ファックスをはるかに凌駕する便利なツールであるうえ、お金もかかりません。

いまでは、データが瞬時に世界を駆け巡ります。論文も添付ファイルで送ることができます。容量の大きいファイルについては、クラウド*などに収納し、相手にＵＲＬ（Uniform Resource Locator）#を送付することで、世界中からアクセスすることも可能です。インターネットの普及で、一気に情報のグローバル化が進展しました。いまでは、オンラインで自由に世界各国の友人と会話をしたり、仕事の打ち合わせをすることも可能となっています。

一方で、気をつけるべき点も数多くあります。インターネット上では、データが一瞬で世界に拡散されます。自分の意に反して、好ましくない情報をネットに上げた場合にも、あっという間に伝わり、取り消すこともできません。これで大失敗した人は数えきれません。

セキュリティの問題

また、セキュリティの問題もあります。大事な情報を盗まれたり、愉快犯的に情報を改竄（かいざん）されることもあります。特に、金銭に関わる情報は、セキュリティ強化が必要です。ネット犯罪被害は、どんどん増えています。国家ぐるみでハッキングを進め、不正送金などにより利益を得ている国もあります。

つまり、インターネットを利用するためには、安心安全の確保が必須となるのです。便利な反面、危険も近くに潜んでいます。日本は、セキュリティ技術の開発にもっと注力すべきと考えます。

さらに、インターネットには信頼性の低い情報があふれており、何が正しいかを見極める力も必要となっています。特に国際関係に関しては注意が必要です。自国の利益のために、間違った情報を創作する国もあるからです。過去の歴史も、勝者にとって都合のよいように書き換えられてきました。それを見極めるには、クリティカルシンキング力が必要です。そして、何が事実で、何が意見かを峻別する能力も必要とされます。

ガラパゴス日本？

インターネットが本格普及した一九九四年以降、世界ではデジタル革命が起きました。その結果、世界各国の生産性も向上し、国内総生産ＧＤＰも増えているのです。アメリカでは二倍に、中国では一〇倍以上になっています。

ドイツ、イギリス、韓国などでもＧＤＰが増えているのですが、日本だけが減っているのです。この原因として、日本の「ものづくり」産業がインターネットをうまく使いこなせてこなかった

＊注ークラウドは雲という英語です。クラウドサーバーと言います。インターネット上の共有のサーバで、ユーザーは必要なときにクラウドにアクセスして情報を得ることができます。

＃注ーインターネット上のアドレスのことです。通常はｈttp://で始まります。ＵＲＬを入力すると、目的のページが表示されます。

ことや、政府の規制緩和が進んでいないことが挙げられています。*

DXの進まない日本

つまり、インターネットという社会インフラをイノベーション創出に有効利用できていないという指摘です。これは第6章で紹介した、デジタル・トランスフォーメーション（DX）が浸透していないことに対応します。たとえば電子認証を進めようと、押印をなくすことが話題になっていますが、いまだに反対があります。また日本は行政が縦割りであり、業界内の保護主義のため、インターネットでせっかく可能となった横展開、すなわちDXが進んでいないとも言われています。

世界では、工場の在庫管理などでRFID（radiofrequency identification）タグを使った個体識別が導入されています。RFIDタグはICチップとアンテナが組み合わさった送信装置であり、駅の自動改札機を通れるSUICAやPASMOにも、この技術が使われています。

しかも、インターネットにつなげれば、自社だけでなく、国中に分散している工業製品や農産物などの在庫状態が分かりますので、とても便利です。まさに、IoT（Internet of Things）とDXです。

欧米では、乳牛にRFIDタグをとりつけて、搾乳ロボットが個体を識別し、自動で乳搾りをするようになっています。このような技術の導入が、日本では遅れているのです。

いまデジタル技術により、世界を席巻している企業のGAFA（グーグル、アップル、フェイスブック、アマゾン）はすべてインターネット関連のIT企業です。四社の時価総額合計は二三〇兆円であり、フランスのGDPと同等の規模です。日本でも同様の企業である楽天やヤフーなどが後発で現れましたが、世界の主導権を握るまでには至っていません。

「世界標準」とならない日本製品

日本には優れた技術があるにもかかわらず、それが世界標準とはならず、日本国内で留まることから、「ガラパゴス」と呼ばれています。これには、日本の特殊事情もあります。海外の多くの機器はアルファベット対応ですが、日本では漢字やひらがなに対応しなければなりません。この差はとても大きいのです。私は博士論文を英語で書きましたが、それはタイプライターが使えたからなのです。

当時、日本語論文はなんと手書きでした。ワープロが登場しだした頃ですが、値段は二〇〇万円以上もしました。この日本の特殊事情によって、ガラパゴス化が生じるのです。つまり、日本

＊注ー日本のGDPが世界で低迷している原因として、インフレ政策に失敗したことも指摘されています。たとえば、二〇〇〇年以降、中国は日本の六倍、アメリカは三倍の紙幣を刷って市場に投入しています。とすれば、これらの国において、個人の収入が増えるのは当たり前です。よって、日本はインターネットをうまく利用できなかったからGDPが低迷しているという結論は短絡すぎるのではないでしょうか。

語対応のための機器の開発には時間とコストがかかるうえ、国内では普及しますが、世界標準とはなりえないのです。この重要な点を見過ごすと判断をあやまります。

そして日本語に対応していなかった海外機種も、開発と市場拡大が進むと、日本語にも対応するようになります。もともと世界というマーケットで勝負している海外の企業には、コスト競争で負けてしまうのです。

かつて日本における個人用コンピュータ（ＰＣ）はＮＥＣのＰＣ88あるいはＰＣ98シリーズが、圧倒的シェアを誇っていました。私も大学当時によく使っていたソフト言語であるＢａｓｉｃも、日本仕様のＮ88‐Ｂａｓｉｃが席巻していました。ワープロソフトも一太郎が主流でした。しかしいずれも、現在では海外勢に負けています。官庁の申請書式もしばらくは一太郎でしたが、ＭＳ‐Ｗｏｒｄとの併用となり、いまは、Ｗｏｒｄだけを採用するところも多くなっています。

携帯電話も同様です。かつては高性能を誇った日本製も、いまや海外勢に負けています。携帯電話で初めて、電子メールの送受信やインターネット接続を可能にしたのは、日本のｉモードでした。これは画期的な技術であり、国内では爆発的にヒットしました。しかし、世界進出に失敗し、国際標準とはなりませんでした。やはり製品開発する際には、世界標準を念頭に置いて行う必要があるのです。日本政府も、規制緩和を含めた支援が必要でしょう。

日本発のグローバル製品

日本からは、画期的な製品は生まれないと、よく言われます。たとえば携帯電話のアイフォンはアップル、アンドロイドはグーグルです。また、日本ではベンチャーも育たないと言われてもいます。世界的な巨大企業であるＧＡＦＡはすべてベンチャーです。

日本の独創製品

しかし、かつては日本のソニーが産んだウォークマンが世界を席巻したことがあります。アニメは日本の独壇場です。世界のどの国に行っても、日本のアニメが放送されています。日本を憧れる海外の若者にはアニメファンが多いのです。タイのある地域では、東京よりも春日部が有名と言われています。「クレヨンしんちゃん」の影響だそうです。ゲームソフトも日本製が世界を席巻しています。また、ＴＯＴＯのウォッシュレットは、世界のトイレ革命を成し遂げたと言われています。

「金型」と呼ばれる工業製品があります。いろいろな部品を大量生産する際には型（かた）が必要となりますが、ここは日本の独壇場です。金型製造には、繊細さと、繰り返し使用に耐える強靭さが必要となります。これは、いまのところ日本にしかできない芸当なのです。アイフォンをはじめとした電子機器には、日本製の精密部品が数多く使われています。決して日本に独創性がないわけではありません。

日本のイノベーション

公益社団法人の発明協会のウェブサイトに「戦後日本のイノベーション一〇〇選」というページがあります。そこには、日本が世界に誇る発明品の数々が紹介されています。例を挙げれば、内視鏡、新幹線、ウォークマン、インスタントラーメン、アニメ、ウォシュレット、家庭用ゲーム機などです。このほかにも日本の独創的な開発品も紹介されています。勇気とともに、日本と日本人を誇りに思えるサイトです。

人は、よくマイナスの面に目を向けがちですが、プラスの面を見ることはとても大切です。別の言い方をすれば、泥をみるのではなく星を眺めるのです。このサイトは、まさに星です。

第13章　創造性は育むもの

未来が見えない不安定で不確実なＶＵＣＡ時代を生き抜くには、教育によって「自らを磨くこと」が大切ということを話してきました。ところで、社会に「イノベーション」を引き起こすためには、創造性が重要と言われています。いままでだれも実現できなかったことを現実のものとする、そんな才能があれば、確かに素晴らしいです。そして「自分を磨く」ことのなかに創造性の育成が入っていれば、それこそ鬼に金棒です。

創造性を育む

それでは、創造性を磨くためには、何をしたらよいのでしょうか。そもそも教育によって、創造性は獲得できるのでしょうか。多くの人は、自分には創造性がないと思っているかも知れません。ここで、確実に言えることは、最初から創造性にあふれた人など世の中にはいないという事実です。生まれつき、創造力のある人などいません。とすれば、創造性も努力によって獲得できることになります。

よく「ゼロイチ」ができる人が社会の変革には必要と言われたりします。「ゼロイチ」(0→1)とは、何もないところ、すなわち「無」から「有」を創り出すことを意味します。それが創造性であるとも言われます。しかし、何もないところから、突如として、何かを創り出すことは、ほぼ不可能だと思います。* ある天才の「突然のひらめき」によってブレイクスルーが起きたと喧伝されることもありますが、「突然」の前には、数多くの「必然」があるのです。「必要は発明の母」とも言われます。考えに考え抜いた結果としての、「ひらめき」なのです。

「基本」から模倣へ

私は、創造性の涵養には、「基本」の習得と、過去の模倣が重要と考えます。模倣というと、人のまねなので、独創性がないではないかと言われるかも知れませんが、そうではありません。まず、何をするにも基本は大切です。学問でいえば「読み、書き、そろばん」です。読むことができれば他者や先人たちの書から学ぶことができます。書くことができれば、多くの人に自分の考えを伝えることができます。そこから議論も生まれます。そして、数値データにもとづく考察ができることも大切です。これらが基本です。さらに、現代社会では、ICT技術の基本の修得も大切という話をしました。

基本がないところに創造性は生まれません。プロのスポーツ選手も最初から、スポーツが得意だったわけではありません。基本を磨いてこそ、応用が利くのです。野球でいえば、キャッチボールや素振りです。常日頃の素振りがなければホームランバッターは生まれません。体操競技のウルトラ演技も基本の積み重ねのうえに完成します。

そのうえで、模倣も大切です。学問もスポーツもそうです。優れた研究者のまねをする、偉大なスポーツ選手のまねをする、それが大切なのです。そして、そこには「憧れ」もあります。自分もあんな人になってみたい、という気持ちも大切なのです。そして、模倣から思わぬ進展があることも多いのです。多くの創造的業績は、模倣あるいは過去にならうことから生まれています。このことを忘れてはいけません。

巨人の肩の上に立つ

アイザック・ニュートンが有名にした言葉として「巨人の肩の上に立つ」という表現があります。これは、「先人たちが積み重ねた発見に基づき、新たな発見がある」という意味です。最初にこの言葉を使ったのは、十二世紀のフランスのネオプラトニズム哲学者のベルナールと言われ

＊注―人間の可能性は無限ですので、可能姓は否定しません。ただし、人類の歴史を振り返れば、ゼロから突如として何かが生まれるということは、ほとんどありません。

ています。

ニュートンは「私がかなたまで見渡せたとしたら、それは、巨人（先人たちが築いた業績）の肩の上に乗っていたからです」と言っています。

ニュートンとそのライバルたち

ニュートンは、数学や科学の分野で偉大な業績を残しています。彼の三大業績は「微積分法の発見」、「ニュートン力学の構築、万有引力の法則」、「光学理論の確立、プリズム分光」です。どれひとつを取り上げても、偉大な成果です。

ただし、彼の業績は「ゼロイチ」、何もないところから出てきたのではありません。先人たちの業績の上に築かれたものですし、同時代のライバルたちとの激しい競争もありました。

微積分法の確立には多くの数学者が関わっており、なかでもライプニッツの偉業は有名です。また力学の構築にも多くの研究者が関わっていて、なかでも「フックの法則」（伸び縮みするばねの伸びは、おもりにはたらく重力に比例する）で有名なロバート・フックは万有引力をめぐって、ニュートンが自分の業績を奪ったと訴えているくらいです。

さらに、ニュートンは太陽光がいろいろな色に分光できることを発見しますが、光の正体が粒子なのか、それとも波なのかをめぐってフックと論争を繰り広げていました。ニュートンは光の粒子説を唱え、フックは波動説を唱えます。そして光の干渉実験によって、波動説が有力視され、これによってフックの勝利が確定したかに見えたのですが、世の中は不思議なものです。二十世紀に入って誕生した量子力学では、光は粒子でもあり波でもあるという二面性を有することが明らかとなったのです。

青色LED

いずれにしろ、多くの創造的偉業は、一人の人の「突然のひらめき」から生まれるものではないのです。これは、ノーベル賞受賞者たちにも言えます。たとえば、青色LED（発光ダイオード）の発明により日本人研究者の天野浩、赤崎勇、中村周二の三人が二〇一四年の物理学賞を受賞しました。

しかし、LEDの基本原理そのものは、アメリカのニック・ホロニアックにより発明されたものですし、日本の西沢潤一もLEDの発展に大きく貢献しました。多くの先人たちの業績の上に、彼ら三人の成果が花開いたと言えるのです＊。

＊注－青色LEDの研究においては、日亜化学工業ならびに豊田合成の貢献も大きいです。特に、日亜化学工業の若い研究者たちの功績を忘れてはいけません。

天才ジョブス

日本では、イノベーションを社会にもたらした人材として、スティーブン・ジョブスがよく取り上げられます。彼は、アイフォンを世に送り出しました。ただし、彼は技術者ではありません。先進テクノロジーのセールスマン、あるいは先端技術を人に魅せる天才と言ったほうがよいかも知れません。大成功したアップル社において、実際にコンピュータやソフト開発を行ったのは、スティーブ・ウォズニアックという天才エンジニアです*。ジョブスは、そのプロモーターであったのです。

さらに、アイフォンの開発そのものに新規の発見があったわけではありません。携帯電話に、いろいろな機能を付与しただけなのです。彼は、ソニーのウォークマンにヒントを得たと言っていますが、音楽携帯端末のアイポッドは、まさにウォークマンの進化形です。しかも、携帯電話でメールの送受信ができるという画期的なアイデアは、NTTのｉモードが最初でした。もちろん、ジョブスの業績を過小評価しているわけではありません。

たとえ、他の技術の統合だとしても、そこに新規性があり、世の人の心をつかめば、それは立派なイノベーション創出だからです。たとえば、彼が世に送り出したマッキントッシュのデザインの斬新性は天才的なものでした。工業製品をヒットさせるためには、性能だけではなくデザインが重要であることを世に知らしめた偉大な存在でもあります。

創造性と模倣

創造性とは、何もないところから、突如として新しいものを創る能力ではありません。そんなことはほぼ不可能です。いままで積み重ねられてきた成果を基礎に多くのブレイクスルーは生まれます。だからこそ、教育は重要なのです。また、異なる技術の統合であっても、そこに新機能や便利さが加われば、立派なイノベーションとなります。

二重らせんの構造

何もないところから生まれた「二十世紀最大の発見」と称賛されているのが、DNAの二重らせんの構造を明らかにしたジャームス・ワトソンとフランシス・クリックの研究です。彼らが一九五三年に科学雑誌「Nature」に発表した論文には、DNAの構造に関する「参考文献」がありません。過去のだれの業績も参考にしていない偉業と言われる所以です。

しかし、ワトソンは、彼の著書『The Double Helix』[#]で、ロザリンド・フランクリンという

＊注―スティーブ・ウォズニアック『アップルを創った怪物』(ダイヤモンド社)。
#注―日本では『二重らせん』として中村桂子訳で講談社から出版されています。

女性研究者の実験データ（DNAの結晶構造を示すX線写真）をこっそり盗み見たことを書いています。そして、それが発見の決定打となったのです。

さらにワトソンは、同じ著書のなかで、彼女は根性のひねくれた女性で、まわりのみんなから嫌われていたということまで書いています。* これは、研究者としてモラルに欠ける行為です。

ワトソンは、二〇〇七年には「黒人は遺伝的に劣る」という人種差別発言をしたり、二〇一四年にはノーベル賞で受賞した金メダルをオークションに出すなどの問題も起こしています。

繰り返しになりますが、新規の発見は過去の業績のうえに生まれます。参考文献を書かなかったワトソンたちは、ロザリンドのデータを公けにできなかっただけなのです。

模倣から生まれる独創

日本は、いまでこそ技術大国と呼ばれていますが、かつてはそうではありませんでした。戦後すぐのメイドインジャパンは、安かろう悪かろうの代名詞だったのです。価格が安いので、なんとか商売ができていました。そして当時の日本の企業は、アメリカのすぐれた技術を模倣していたのです。そしてそこからイノベーションを生み出しました。

韓国のサムスン（Samsung 漢字では三星）もそうです。一九九〇年代に、私の研究室でポスドクを勤めていた研究者が、サムスンの研究所に就職しましたが、「すぐに辞めたい」と相談してきました。聞くところによると、研究所でやっているのは、日本の製品を分解して、そのコピーをつくっているだけというのです。これは研究開発ではないということでした。

彼は、私の推薦でソウルにある私立大学の教員となりました。しかし、その後のサムスンの躍進は、目を見張るものがあります。新しい製品も世に送り出しています。模倣から創造性を発揮した例です。

もともとサムスンの半導体技術は、日本企業のデッドコピーと言われていました。日本電気（NEC）の支援を受けて、半導体事業を成長させました。さらに、液晶技術については、シャープの模倣と言われています。しかし、模倣からさらなる技術発展をさせて、日本の企業を追い越すまでになったのです。

伝説の技術者ロケットササキ

シャープには、伝説の技術者、佐々木正という人がいました。「ロケットササキ」という異名で呼ばれています。アメリカの技術者が、彼の発想は戦闘機よりも速いロケットだと称したことが始まりのようです。彼は、関数電卓の開発でも有名です。電卓表示に液晶を採用することで、液晶の普及にも貢献しました。また、太陽電池を電卓の電源として使うことで、その商用化にも

＊注―私は、このくだりを読んだとき、ワトソンの人間性を疑いました。ロザリンドの功績は〝The Dark Lady of DNA〟と題したブレンダ・マドックスの著作に書かれています。化学同人から『ダークレディと呼ばれて』鹿田昌美訳で出版されています。ただし、ノーベル賞受賞後にワトソンは、ロザリンドは素晴らしい女性研究者であったと、書き直しをしています。

貢献したのです。

つまり、電卓にＩＣ回路を応用して小型化し、電源として太陽電池を使い、表示画面に液晶を使うという技術の統合によってイノベーションを起こしたのです。

彼は、たいへん鷹揚な性格であり、孫正義氏を支援したことでも知られています。また、ジョブスにウォークマンの発想を助言したとも言われています。さらに、サムスンの技術者たちに惜しげもなく先端技術を教えたようです。「与えられるものは与えて感謝してくれればよい」とも言っています。

日本電気、シャープの技術者が土日に韓国に出稼ぎで日本の技術を教えていると社会問題になりました。また、サムソンは日本の企業を退職した技術者、七〇人以上を技術顧問として高給で受け入れたことも有名です。にもかかわらず、サムスンがシャープに特許訴訟を起こしたときには、さすがの佐々木正も不快に思ったようです。

サムスンは模倣から出発しましたが、いまでは世界一の研究開発費を投入し新製品の開発に邁進しています。ただし、トップに立つと、その位置を守ることは大変です。なぜなら後発の企業が既存製品を低価格で市場に投入してくるからです。かつて日本企業のお家芸であった白物家電や液晶などが好例です。サムスンも、これから正念場を迎えるでしょう。

創造性には、魔法のような「突然のひらめき」や「ゼロイチ」などは必要ありません。ですから、みなさんは「創造性がない」などと悩む必要はないのです。それよりも、学問の基本を習得することが大事で、そのうえで先輩たちの過去の業績をよく学び、参考にしましょう。

さらに、よく考えることです。そのとき必要になるのが、クリティカルシンキング力です。そこから独創性が生まれるかも知れないのです。

終章　教育の大切さ

現代は「不確実性の時代」と呼ばれています。コロナの蔓延や、ポピュリズムの台頭など、何年も前には予想できなかった事態が起き、世界情勢も不安定となっています。

でも、現代に限らず、いつの時代も未来予測は不可能であったのです。逆に言えば、未来が確定していないからこそ、人は努力によって未来を切り拓くことができるのです。

では、先の見えない時代を生き抜く処方箋はなんでしょうか。それは、「自らを磨く」ことに尽きます。「生涯、これ学習なり」というと耐えられないという人はいるかも知れません。でも、人はなにかを学ぶことが好きで、好奇心がいっぱいの生き物なのです。

人間は、学ぶことによって賢くなり、いろいろな技能を身につけることもできます。それまでできなかったことが、学びを通してできるようになれば自信もつきます。そして、学ぶことを楽しめるのも人間の特徴です。

自分は勉強が嫌いという人もいるでしょう。その原因のひとつは、学びたくないものを強制的に学ばせられるからです。人は、自分が学びたいものを見つけたときには、積極的に、かつ主体的に学びます。

学習の期限を切られて、「ここまでにできなければダメ」とレッテルを貼られることも勉強ぎらいになる原因です。学ぶことは楽しいのですが、人それぞれのペースがあり、そのペースを乱されたのでは嫌になるでしょう。

父が家庭教師だった

私は、小学校の低学年までは勉強のできない子供でした。先生の言っていることが頭に入ってこないのです。

算数の文章題も苦手でした。問題を解く前に、問題の意味が分からないのです。それが変わったのは小学校三年生のときでした。父親がマンツーマンで教えてくれたのです。

父は警察官でしたが、もともとは日立工業*という高等学校に奨学金を得て理系の学問を学んでいました。微積分などの高等数学もできます。また、英語も堪能でした。戦後まもなくは、進駐軍の通訳をやっていたこともあります。戦後の混乱で職を得るために、警察官になったのです。

＊注―現在の日立工業専修学校のことです。一種の企業内学校にあたります。茨城県立の日立工業高校とは異なります。

休みの日など、嫌がる私をつかまえて、朝から勉強です。* 最初は大変でしたが、何しろ面と向かっての教育なので、分からないところは何度も繰り返して教わることができます。これが学校と違うところです。

学校では、自分とは関係のないペースで授業は進みますから、一度落ちこぼれると、ますます分からなくなります。しかし、父との勉強では、分かるまで時間をかけて学びます。やがて、いろいろな事の意味が分かるようになっていきました。

すると、驚くべきことが起きたのです。小学校三年生の二学期から算数のテストがすべて満点になったのです。それまでは六〇点とればほめられていました。こうなると自信もつきます。勉強に対する意欲もわいてきます。

国語、理科、社会の他の科目においても、父による家庭教育が始まりました。小学校卒業時には、体育や音楽も含めて、ほぼオール5の成績になっていたのです。

いま振り返れば、私は恵まれた環境にあったのだと思います。もし、小学校低学年の分からないままの自分であったら、いまとは違う人生を送っていたでしょう。

ただし、人それぞれです。どんなかたちにせよ、学ぶことの意義を本人が自覚できたらしめたものです。「偉大なる教師は、生徒の学びの心に火を灯す。」

教育によって人は大きく成長します。学びが人を変えるのです。いろいろな知識や知恵、技能を身につけていれば、世の中がどんなに変わろうと、柔軟に対応できます。不確実性の時代にあっても元気に活きる処方箋は、教育によって自らを磨くことなのです。

授業の大切さ

教育の大切さについて学んだ、私のもうひとつのエピソードを紹介したいと思います。

絶望的な成績

私は、高校三年生のときに、アメリカの高校に一年間、ＡＦＳ制度を利用して留学しました。高校三年の夏に渡米し、翌年の夏休みに帰国します。そしてすでに大学生となっていた同級生たちとの「夏の遊び」に付き合っていました。

夏休み明けに受けた校内の大学模擬試験結果を見て、愕然としました。成績が学年でビリに近かったからです。アメリカ留学したのですから英語ができてもよいはずですが、英語のテストもまったくダメでした。英会話ができても、受験英語には対処できないのです。

数学や物理もダメでした。数学は、米国カリフォルニア州数学コンテストで準グランプリを

＊注―当時は、自然が豊かであり、まわりには遊びの道具がたくさんありました。虫取りや魚釣り、夏ならば野球、冬ならばスキーやスケートです。

とっては自信があったのに、習っていたのが大学で習う線形代数や微積分でした。なにより受験の数学や物理にはスピードが要求されます。時間内に解答が終わらないのでは話になりません。

授業に集中するしかない

途方に暮れ、どうしようか迷ったあげく、あることを決めたのです。それは、高校の授業に集中することです。私の通っていた学校は、進学校の盛岡一高でしたので、三年の二学期からは「受験モード」一色、できる生徒なら自分で勝手に学習していてもいい雰囲気さえあったのです。

しかし、私にはほかに選択肢はなかったのです。学校の授業に全集中することにしたのです。それしか思いつきませんでした。

朝はだれよりも早く学校に着くようにして、心を落ち着かせたうえで授業に臨みました。それまでは始業時間ぎりぎりに教室に入っていましたが、それでは授業に集中できないことが分かったからです。

学校の先生は「教えのプロ」です。何人もの生徒を指導してきた実績もあります。また受験の勘所をよく知っています。下手な自主勉強よりも、授業による成果ははるかに大きいのです。

先生たちの授業はどの科目も十分に分かりやすく納得できるものばかりでした。一生のなかで、あれほど授業を聴くことに集中した時期はなかったと思います。

授業に集中して二か月ほどで成果が目に見えるようになりました。模試の成績が上がり始めたのです。十二月に入って行われた模擬試験では、学年のトップクラスになっていました。自分でも驚くほどの成長です。

結局、大学受験では、志望の大学に合格することができました。アメリカで一年、過ごしましたから、一年遅れの大学入学となったのです。

教育は本当に大切です。学生にはいつも「学校の授業はおろそかにしてはいけない」と伝えています。ただし、教育は一方通行ではありません。教える側と教わる側が真剣に対峙したときに、その効果は素晴らしいものとなるのです。この半年の経験は、教師となったいまも「心に灯す火」であり、学生や生徒たちに伝えたいことなのです。

若いころの自信の喪失はだれもが経験することです。自分には才能がないと思い悩む人も多いでしょう。しかし、才能はあるかないかではなく、寝ているか起きているかで判断するものです。そして、眠っている才能を目覚めさせる努力をすることが大切です。教育は、その助けとなります。思いもよらぬ才能が開花したときの喜びは何事にも代えがたいものです。多くの方が、その喜びに出会わんことを心より祈っています。

あとがき

二〇一九年末から始まった新型コロナウイルス感染は、あっという間に全世界に拡大し、人の移動も制限され、経済だけでなく、教育、スポーツなどありとあらゆる分野に大きな影響を与えています。

私たちが住んでいる世界では、コロナ禍のように、予想もしないことが突然訪れます。このような不確実で不安定な時代にあって、多くの若者は不安や悩みを抱えているのではないでしょうか。特に、青年期に陥る自信の喪失や、世に対する絶望感はだれもが経験することです。

そこで、芝浦工大の学長として、学生を勇気づけるメッセージを贈れないかと思い立ったのが執筆の動機です。不確実性の時代にあって、私たちがすべきことはなにか。それは「自らを磨く」ことです。そのために教育は大切なのです。どんなに金儲けをしても、財は一瞬にして消えることもあります。一方、身につけた知識や知恵は、一生の宝として残ります。

日本の教育は優れています。小学校から高校まで授業をしっかり受けて、学問の基礎を学んでいれば、社会で通用する力を身につけることができます。ここでいう学問の基礎とは「読み、書き、そろばん」のことです。また、大学に入って、自分の専門を磨くことができれば、それも強力な武器となります。さらに、クリティカルシンキングの手法を身につけることも大切です。

そのうえで、「前向きに物事を捉える」ことも重要です。同じ境遇にあっても、マイナスをプラスよいのです。

に変える。それは、難しいでしょうか。そんなことはありません。自分の考え方を少し変えるだけで

ところで、二〇一二年に芝浦工大の学長に就いたときに、どんな挨拶をしようか苦慮したこともありました。そのときに参考になったのが、高校時代の恩師である安藤厚先生が書かれた『自彊やまず』という本です。私の母校である盛岡一高の校訓に「忠実自彊」があります。易経にある「天の運行は健なり。君子もって自彊息まず」にならったものです。「天の運行は健やかで一日たりとも休まない。それに見習って、自ら進んで努力し、励んで怠らない」という意味です。常に、自らを磨き続けることが大切という教えです。安藤先生の書には、学生へメッセージを贈るときに参考となるエピソードが散りばめられていました。

また、私は幸せなことに、多くの尊敬できる先生に出会いました。小学校の澤田郁子先生、塾の内澤二典先生、中学校の藤澤信悦先生、そして高校の佐々木政男先生、安藤厚先生、大学の柴田浩司先生です。「偉大なる教師は、生徒の学びの心に火を灯す」と言われています。これらの先生方には、勉強だけでなく、人生において何が大切かを教えていただきました。感謝しかありません。

最後に、本書をまとめるにあたり、芝浦工業大学理事の吉川倫子さん、学長室の榎本英子さん、慶応大学の井上雅裕教授（前芝浦工大副学長）、理工数学研究所の小林忍さん、編集者の水野寛氏には、原稿に目を通していただき、有用なコメントいただきました。ここに謝意を表します。

二〇二一年七月　著者

著者：村上雅人（むらかみ　まさと）

1955 年岩手県盛岡市生まれ。東京大学工学部金属材料学科卒業。同大学工学系大学院博士課程修了。工学博士。新日本製鐵第一技術研究所研究員、超電導工学研究所第七研究室長等を経て、芝浦工業大学教授。2012 年 4 月―2021 年 3 月まで同学長を歴任、現在、同学事顧問。Fe-Mn-Si 系形状記憶合金の発明ならびにバルク超伝導体の開発など、超伝導工学者として知られる。

日経 BP 社技術賞、新日本製鐵社長賞、World Congress Superconductivity Award of Excellence, 岩手日報文化賞、超伝導科学技術賞、PASREG Special Award of Excellence などを受賞。

著書に『はじめてナットク！　超伝導』（講談社ブルーバックス）、『なるほど虚数』『なるほど微積分』『なるほどグリーン関数』など理工系自習書「なるほど」シリーズ 24 作（海鳴社）、『教職協働による大学改革の軌跡』（東信堂）などがある。

不確実性の時代を元気に生きる

2021 年 9 月 7 日　第 1 刷発行

発行所：㈱ 海 鳴 社　http://www.kaimeisha.com/
〒 101-0065　東京都千代田区西神田 2 - 4 - 6
E メール：info@kaimeisha.com
Tel.：03-3262-1967　Fax：03-3234-3643

発 行 人：横井恵子

印刷・製本：モリモト印刷

出版社コード：1097
ISBN 978-4-87525-356-3